亂世佳人

我是男，也是女。扮女的，無費雯麗
姿色，差矣；當男的，帥氣打敗馬英
九，國色天香啊。

彈一首我會哼，你會唱的歌曲；祝
福各位。

水晶燈自頂垂墜，命運往前看，摸
不清，往後望，鏡子裡不過是個倒
影。就求人生當下平安吧。

上圖為「蘇非貝克」（Baker），牠是
新加入家庭的成員，見人直打轉，疑
為土耳其蘇非教派駐台秘密成員。

李敖說，這些狗不是狗，是人。因此！我家有六個人，只有一隻狗。隔頁穿粉紅小睡衣的，左為「成吉思汗」，右為「南禪寺，湯豆腐」，別看牠們長相可愛，一個會咬人，一個不理人，全是壞蛋。

左圖為我的「老煙槍三世」雖殘疾，毅力直比小羅斯福。右圖為憂鬱的「蕭邦」，我家惟一大狗。遭不知名人士棄養，流浪吾宅，蹲於院中三日，於焉加入Sisy狗戲團。送學三月，啥學不會，只愛做小眾狗們，撒嬌耍賴，毫無大狗之尊。

2005年的我與李大哥贈狗,「李敖
大哥大」,難得展露母性光輝。

人老了，每年要拍一張照。攝於2006年5月。

五十歲起，我開始走山。

陽明山上芒草、蘆葦。

蔣介石初抵台，

望的就是這片山景。

梅花已盛開，惟存一留枝。我站其左，拍
照擺樣子。

我的小茶房。

謹代表我的母親陳文茜

謝謝購買並閱讀此書的人

──成吉思汗，七歲，戴帽致謝

亂世佳人
目錄 CONTENTS

輯 4　紀念2006・紅花雨

輯 5　邂逅夢想

亂世佳人

輯 1

亂世佳人

身太平的女子，最終也眞的成了世紀巔峰的奇才。的文人多爲貶抑，但迷戀她們的衆生，卻橫跨時代與年齡。大蕭條亂世中，兩位只求自張愛玲與CoCo Chanel這兩個才女，皆話題女王，都是搔首弄姿之輩。同代自命清高

我們這時代本來不是羅曼蒂克的，這是張愛玲的話，寫於大蕭條後七年。

引用張語，因為生在金融海嘯，要活的稱心，恐怕得夠老夠透徹；或夠年輕，不知世間崎嶇，才能心情愉悅。

我現在五十，比我年輕的，記憶中戰亂貧窮的畫面皆以黑白影集播出。說世界大戰，道石油危機，邱吉爾是黑白，孫運璿也是黑白；我們從不知他們打的領帶什麼顏色。電視影像科技的進展，給了我們錯覺，危機只存在於黑白的時代，自從人類的報導世界成為彩色後，世間早已一片繽紛美好。

金融海嘯誘引我回頭，閱讀崛起於1920至1930大蕭條年代許多人物，其中最精

CoCo Chanel的人生簡直有如一本謊言集，她利用男人躋身上流社會，但從不附著於任何一個男人。（法新社）

彩的首推兩個女人，張愛玲與CoCo Chanel。她們都活在那個因大蕭條而極端主義戰爭的年代；CoCo略長張愛玲十來歲。我常捫心自問，如果與她們活在同一時代，我會和她們做出相同的選擇嗎？我還能如此推崇這兩個女人嗎？

首先這兩個女人都曾是「漢奸」或「法賊」。張愛玲嫁給了「偽」政權大官胡蘭成；CoCo Chanel德軍入侵巴黎時，與一名德國軍官同居。大戰後人們質問香奈兒女士，何故「賣國」？她不只不道歉，還輕佻地回言：「和一個男人上床，需要檢查他的護照嗎？」

其次，這兩個才女，皆話題女王，都是搔首弄姿之輩。同代自命清高的文人多為貶抑，但迷戀她們的眾生，卻橫跨時代與年齡，擁愛不已。張愛玲與沈從文同時成名，她是上海灘那一輩小說家最早奇裝異服，攝像上畫報，宣傳自己的女文人。這種附庸大眾文化的炒作法，自非沈從文、魯迅等革命文學家願意幹的事。她晚年孤寂，惜字如金，與少女時成名趁早，紅唇時髦成了極大對比。如果張愛玲一開始採取的不是畫報型的宣傳策略，走個嚴肅路線，她的文學是否仍擁有今日相同的經典地位？張愛玲本人與作品都成了傳奇，互為疊影，世要夠亂，才能出佳人。那個戰火中唯一最無國仇家恨、只求紙醉金迷的上海孤島，出現一名明哲保身的亂世佳人，側側輕怨的文字，

竟給了中國人戰火中避世唯一的慰藉。

　　CoCo Chanel更「過份」，她的人生簡直有如一本謊言集。絕口不提出身孤兒院，一生利用男人，認定上流社會的價值，只求往上爬。永不停止的向上爬，成了她人生唯一相信的道德。從巴黎到維琪「偽」政府，從維琪避至瑞士，再從此處不留人的法國、發展至新興時尚帝國美國；香奈兒出身比張愛玲更窮困，也因此更沒有道德包袱。一切只為了發展她們曠世的天才，除此之外別無生存原則。

　　這兩個女人皆活在大蕭條時代，亂世裡經營自己，有時也被逼到了不擇手段的地步。原因之一，她們很早即明瞭自己除了天才的夢外，一無所有。CoCo的姪兒，是她在孤兒院一同長大的姊姊唯一的後代，德國入侵時姪兒被關進集中營，CoCo與德國軍官的賣國性事保住了她自己之外，還救出了她的姪兒。而張愛玲的故事大家聽多了，出生於銀進銀出的父親家庭，成長後渴望著自由，她形容自己出走父親的家「沒有一點慷慨激昂。我們這時代本來不是羅曼蒂克的。」經過一番算計，她決心只有自己才是唯一的資產。十六歲時的張愛玲已愛看《聊齋》與《俗氣的巴黎時裝報告》，她寫〈更衣記〉，只提到了法國大時裝公司如Le long's Schiaparellis's，CoCo Chanel對她而言，還是一門太高級遙遠的時尚知識；但她已批評起中國裁縫，沒主張。並明言，如果男性們對衣著感到興趣些，

也許他們會安分一點，不致千方百計爭取社會聲望，禍國殃民。這一點香奈兒女士戰後，曾於美國時尚雜誌專訪時，說了相同的話，「那些戰爭的發動者，不懂得追求時尚，男人們要像女人一樣愛起花邊帽，天下就太平了。」

　　大蕭條亂世中，兩位只求自身太平的女子，最終也真的成了世紀巔峰的奇才。「我們的時代本來不是羅曼蒂克的」，她們世故地選擇冷視人間，女人救不了時代的悲苦，只救得了自己的天才。CoCo死的時候，法國總統將之比喻「法國廿世紀留下的三個名字，戴高樂、畢卡索與香奈兒」。她們錯了嗎？我沒有答案。（2008.10.22）

不是此生最糟

灣人誰沒窮過？沒苦過？戓苦過？日，也不會是「我們這一代經歷最糟的狀況。」除了年齡二十歲的這輩台灣人之外，台業率，百萬人沒有工作，且跨行、跨年齡、跨學歷。處於不安的狀態，但絕非世界末二〇〇八年華爾街金融海嘯，對我們的意義，究竟是什麼？我們將有二十年來最高的失

「哦！我們正經歷此生以來最嚴重的經濟衰退。」

我愈來愈憎恨這一類型沒有意義的美國白人談話。我們的時代真的那麼糟嗎？以一位猶太人的座標，如果年歲五十以上，他的父母親即是被丟到毒瓦斯爐燒掉的那一代；年幼出生時，家庭剛遷徙逃難倫敦、紐約，家貧如洗，一無所有。以一位1949遷徙台灣外省後代，例如王偉忠吧，他家幼時連不滴雨的屋頂，都是豪奢；父親僅是一名士官長，從一個壕溝逃生至另一個壕溝，糊里糊塗來到不知名的島嶼，安個家吧，可是離鄉離爹娘幾萬哩！以一位本省家庭的後代比如我，今日物質生活的豐饒，大冰箱冷氣汽車，每日最大的煩惱竟是肥

胖，我如何想像這句柏南奇的談話，「此生以來最嚴重的經濟衰退？」

我的確愈來愈憎恨這句話。這句話揭露了談話者美國上流社會的白人史觀；在他們有生之年，出生於綠草如茵的家園，搭乘典雅克萊斯勒轎車，著粉紅色七分褲的母親，與每年年底一棵剛從山上砍伐新鮮閃閃發亮的聖誕大樹。世界沒有戰爭、沒有災難，那怕與他們同一個國度的黑人，都是另一個國家，甚且另一個星球的故事。所謂「我們這一代」，敘述的是地球少數人類的有限歷史經驗，顯然他們從不打算問問其他人的感受；他們就是世界，就是歷史。

但罵歸罵，我們至今真得三字經地毫無選擇被這群少數人主宰。美國至今仍是世界最大的消費國與出口終極點；華爾街一群人病了，世界猶如心臟遭重擊；信貸跟著緊縮，各國好似失去大量血液的患者，活的氣若游絲；全球經濟一起送入加護病房。

這種生產鏈現象，並非此波全球化才發生。1929美國大蕭條時，遠至紐西蘭、日本、丹麥皆受重創。我們很難想像當時搭船至少數月才能抵達的美國與日本之間，如何開啟了絲襪貿易。所有日本的絲襪工廠皆停工，日本一位歷史學家敘述那些從鳥取至大阪上工的工人，如何絕望地搭著鐵道回家鄉。幣值皆薄，辛苦工作數年的工資換不了

一箱衣物給家裡的老小；行經合掌村落，望見水裡逸樂的錦鯉，羨其處境，竟忍不住向上蒼合十祈禱，盼自己化作水中之物，永不超生。

撇開白人有限史觀，2008年華爾街金融海嘯，對我們的意義，究竟是什麼？以當代的接單生產時間計算，美國歐洲耶誕旺季皆墨，意思是亞洲下一季至半年後的經濟會出現更大幅裁員或倒閉的現象。半年內多數企業只有三種處境，獲利衰退、嚴重虧損、或周轉不靈倒閉。我們將有二十年來最高的失業率，百萬人沒有工作，且跨行、跨年齡、跨學歷。處於不安的狀態，但絕非世界末日，也不會是「我們這一代經歷最糟的狀況。」除了年齡二十歲的這輩台灣人之外，台灣人誰沒窮過？沒苦過？

我給身邊的人，不同狀態，不同的建議：

如果你是一位有上千萬台幣積蓄的人，別聽什麼「現金為王」的鬼話，盡量到市場消費。你的每一筆花費，在不景氣的年代，都是慈善。如果我是馬英九，擁有六千萬定存，我會每個月初到月尾，天天花費，買好的畫，買大量的書，買江蕙、蔡琴、五月天的好聽音樂，買新款的牛仔褲，固定宴請母親朋友，到處送生日蛋糕、送花，甚至打掉臉上老人斑……，把消費當公務行程之一，把薪水花一半以上，帶動全台資金富有者刺激景氣的好習慣。馬英九想捐3600元消費券給公益，他不如花36萬消費，再把買

來的物品送給孤兒院。捐消費券這種小功德，就留給月入伍萬的薪水階級吧！

如果你失業了，但仍有部分儲蓄，別過度沮喪。這可能是你投資自己最好的機會，回學校上一門對自己未來有用的功課。例如會計、管理、創業、行銷、其他一技之長、以及流利的英語，為日後的經濟復甦做準備，累積更強的競爭力。

如果你仍有職業，但你熬得很苦，不妨日行一善。搭計程車，多給點小費；吃小攤販，多買一份給窮同事。看到比你更苦、更不快樂的人，你會惜福；日子也就慢慢過去了。

下週我自動向電視台報名，上工多主持兩天。我想眾人賺錢那麼難，自己不該再休息，決定多主持節目，然後把賺來的錢，或捐公益，或者好好地大花特花。奇怪，原本病痛的身體，竟然精神抖擻起來，這世界一直都是有付出才有回饋，不是嗎？（2008.11.21）

擦上妳的口紅吧！

言，勇氣和力量的象徵，對抗一個挽救不了的蕭條時代。美容沙龍到處開設，提供荒涼苦痛的世界，最好的避難所。口紅成了一種時代的宣品。嘉寶鮮紅的口紅形象，席捲全歐美，改變了人們對美的概念，口紅成了最受歡迎的產

奇怪，閱讀歷史，發現這一百多年來的全球性金融危機，根源都來自於美國。我們這一代人，記得最早的金融危機，好似三〇年代華爾街大蕭條，但那恐怕是因為我們的記憶所及，只能到爺爺奶奶那一輩。閱讀近代史，第一次華爾街大股災，早源於1857年。而且一切故事，都是重演，都是輪迴。

1857年美國當時正如今天的中國，才剛崛起。來自加州的金礦流向全世界，而起家於美國西部的大騙子以貪污、舞弊、內線交易種種花招，充斥華爾街。這個年輕國度，正實現歐洲人發展經濟的最佳新沃土。《紐約先驅報》如此描述1857年大崩潰前的豪奢風氣：「富

而不必工作，美麗莊園、優雅藝術品、美好的服飾……，這是每一個民眾的美國夢。」

第一回創造華爾街泡沫化的原凶，主角為鐵路公司。1820年至1840年，美國人口從900萬增長至1700萬，決定性的因素即為便宜且快速的運輸鐵路；高效率的貨物轉運，使美國工業投資二十年間，增長了五倍；其中最大的投資項目即為興建鐵路。我們現在活著的當代動輒封誰為「股神」、「投資大師」、「油神」，1857年，華爾街也有這麼一號人物：丹尼爾·朱（Daniel Drew）。在他破產聲名狼藉前，華爾街給了他一個崇敬封號「鐵路股王」。股市崩盤後，他的最終評價則完全相反，「一開口就說謊，一靜下來就想行竊」。為了詐騙他人的盲目跟從，丹尼爾會不經意假裝洩漏股市內幕消息；某次他「不小心」把交易單掉在一位經紀商身邊，當他的交易單從皮夾「遺落」地板時，全華爾街交易所立刻為之震動，市場謠言四起，眾人於是皆買進了「伊利湖鐵路公司」的股票，伊利湖股價大漲，而丹尼爾則大舉出清原先已無人承接的鐵路股票；沒隔幾天，股市即大崩盤。

從1857年華爾街第一次大崩盤至今，歷史已從火燒圓明園到北京奧運，走了一大輪。泡沫化的主角，一百五十一年來不斷地換身，從鐵路股、電信汽車股、網路股、地產股……。我們現在經歷的「二房危機」，只是每一個泡沫

年代戲劇的重演，房利美成立於大蕭條之後，目的就是為了穩定房貸市場，省得每個人都跳樓；「房地美」與它純為孿生兄弟，為了不使房利美過於龐大，1970年正式分割為「二房」。二房出現嚴重虧損後，美國金融單位一經檢查，發現上至執行長，中至管理階層，下至基層職員，都在偽造信用記錄。這完全是1857年華爾街大崩盤的寫照，當時某家鐵路公司被查出一份賄賂名單，上從州長，下到小報編輯，賄賂價目表宛若一頁經濟史的核心文件，告訴我們如此荒唐金融現象的背後，如何產生。州長五萬美元、副州長一萬美元、財政部長一萬美元、民主報發行人比照州長秘書五千美元、守衛報編輯一萬美元、法官等相關人士共二十三萬六千美元，共計八十七萬二千美元。這些資料後來被登錄於《貿易危機史》，1874年出版，著作人麥克司‧威爾斯。

1857後，顯然沒有什麼人得到太多教訓，人性的貪婪與擁抱成功投機客，不會改變；以致我們只好每隔一段時間，即經歷所謂的股市大崩盤，週而復返，終其餘盡。

閱讀一百五十一年來的經濟崩潰史，惟一有趣之處，為口紅與經濟興衰的辯證關聯。1800年初期，「蒼白」是一種風尚，一名狀似瀕死的婦人面容，被社交圈視為「迷人」的象徵。這種病態美的追求，融合了死亡與瘋狂，綿延了整個十九世紀。1857年華爾街股市第一次崩盤，當時的美

國經濟產值還不足以撼動全球經濟；到了1929年，華爾街再胡鬧一次，全球苦痛到了頂點。為了免於人人自殺，羅斯福提出新政，其中很大的部分即為資助好萊塢電影。電影中嘉寶鮮紅的口紅形象，席捲全歐美，改變了人們對美的概念，口紅成了最受歡迎的產品。美容沙龍到處開設，提供荒涼苦痛的世界，最好的避難所。口紅成了一種時代的宣言，勇氣和力量的象徵，對抗一個挽救不了的蕭條時代。

Elizabeth Arden在1939年刊登了一則廣告，「擦上妳的口紅，提振我們的士氣，對抗戰爭。」

Helena Rubinstein則以如下的證言，決定了從此口紅經濟史的地位，「一杯咖啡和口紅，我能面對世界。」

2008年，金融海嘯下擦上妳的口紅吧！（2008.9.10）

快樂經濟

喪至谷底的憂鬱美國人。

集棉花俱樂部，場子傳來「歡迎 Lord Ellington」，一杯小酒在握……這些快樂撫平了沮

我們今日仍著迷的音樂形式，都是一九三○年代的產物。在搖擺的音樂聲中，紐約人聚

1929年10月10日，紐約的天空仍有一整片的白雲，華爾街維持著榮景氣象，一早開盤叫吼的交易員，正如往昔，從 Brooklyn Heights 的石頭房，打上領帶，搭著地鐵，走進了象徵美國大國崛起的證券交易所。

沒有人意識到，這是紐約美好時光的最後一天。 10月11日起，華爾街股市開始下跌，至10月29日歷史上最著名的一天，紐約股市大崩盤。華爾街指數從352點跌至２３０點，一路至1932年7月，小羅斯福當選的前四個月，只剩41點，共跌了90％市值。華爾街跳樓自殺人數高達27,000人，全美失業人口佔20％～25％；美國工業生產額跌落三分之一，從此經濟大

蕭條自美國蔓延至全球。茶、小麥、農林業、連絲襪市場都消失了。1931年國際聯盟列舉大蕭條的國家從阿根廷、澳大利亞、芬蘭、印度、捷克、德國……，甚至震源波及遠至日本。巴西成了資本主義破落戶，當地咖啡種植戶為挽救價格暴跌，竟把過剩的咖啡，當火車引擎的煤來燒，等於是第一代的生質燃料。德國更慘，現在發生於辛巴威的幣值重貶，當年完全呈現於一次大戰後的德國。1923年德國貨幣單位一下驟降為十年前1913年幣值的百萬分之一，價值等於0。通貨大膨脹時期，一個奧地利人的保險金終於到期，領了一大把鈔票，全部金額只夠喝一杯飲料。

著名的小羅斯福就在這樣的世界經濟漩渦中站上舞台。當時的他已罹患小兒麻痺症，時年49，一拐一拐地不要人扶持走上就職舞台，發表了著名的就職宣言：「我們唯一該恐懼就是恐懼本身，一種無名的、喪失理智的……恐懼心理，癱瘓了我們，以致我們什麼事也做不成。」癱瘓的美國經濟，選擇了下肢癱瘓的總統，以他個人身體所展現的強韌，鼓舞絕望的子民。當時的美國人，還未活在電視時代，守著收音機，美國人熱淚盈眶地聆聽一個鏗鏘有力的聲音，帶著他們從殘廢中站起來。

小羅斯福著名的「新政」，包括首開世界福利之風的失業救助法、國家工業復興法等共六十多個法案，在他上台

後一百天內立刻推出。他要求國會授權「大政府」，一套無邊無際的法案特權，挽救美國經濟；這是許多人比較理解的大蕭條歷史。許多人不知道的是，大蕭條並未因此過去，整個美國經濟的衰退自1929年遲至1941年共十二年才真正結束；一直到歐洲又打了一場仗，美國成了他們的後勤大工廠，經濟崩潰的跡象才告終止。

小羅斯福改變不了大體的經濟環境，但他要美國人保存希望，快樂起來；至少不能再跳樓自殺。他解除了禁酒令，曼哈頓多了很多club，喝杯酒、聽現場演唱歌聲，人生的苦境感覺起來也就不知不覺度過了。柯普拉導演曾重現當年「棉花俱樂部」（Cotton Club）的風情，時代背景即為1930年代。紐約、芝加哥等大城市角落，多了很多免費即興表演，它們都是小羅斯福「大法案」中資助的表演團體。由於失業人口以黑人為主，黑人的音樂成了政府主要贊助的對象。艾靈頓爵士、Jazz、搖擺音樂，這些我們今日仍著迷的音樂形式，都是1930年代的產物。在搖擺（Swing）的音樂聲中，紐約人聚集棉花俱樂部，場子傳來「歡迎Lord Ellington」，一杯小酒在握……這些快樂撫平了沮喪至谷底的憂鬱美國人。

我給了它一個名詞，「快樂經濟」，或者更時髦地也可稱「百年前的慢活音樂」。即興的音符，告知人們，人生本是無常，至少這個夜晚、這一刻、我們是幸福的。

小羅斯福共在任12年，他是美國史上任期最久的總統，雅爾達會議後他心臟病突發，沒等到二次大戰同盟國勝利，撒手離開了一路伴隨著的美國蕭條局勢。但他活得那麼有勁，那麼有創意，那麼不肯放棄，以致成了美國史上最令人懷念的領袖。

　　IMF（國際貨幣基金會）預測今年經濟不好，明年可能會更糟，美國尤其陷入困境，於是全球又討論起了經濟大蕭條。回顧八十年前歷史，人們真正需要的恐怕不是身體健全每日晨跑的脆弱領袖，而是勇於創新、鼓舞人民、不斷端出牛肉政策、不屈不撓的政治領導團隊。他們或許扭轉不了世界大環境，但卻帶給人民希望，尤其是快樂。

　　（2008.8.1）

當華爾街也下毒

「獲利配息模式」，複雜到沒幾個專家看得懂，遑論一般人。因為每個買連動債券的投資人，都曾拿到一份數十頁厚厚文件，前幾頁告訴你雷曼一倒，理專一臉無辜，本地銀行則拿出法律文字，一一註明「它已善盡告知風險義務」。

衍生性金融商品，這個起始於1990年代，至2008年終釀成全球金融「慌亂」「海嘯」的「大禍源頭」，如今已成美國的過街老鼠。它製造了全球共同繁榮的假象，FBI 2008年9月底以詐欺罪名，調查美國24家銀行高階主管，包括剛宣布破產的雷曼兄弟。

回顧二十年來，衍生性金融商品發展史，令人嘆為觀止；它甚至已成了一門學問。台大有一個科系，稱為「財務工程」，教的就是這門行業的絕活。名詞如此專業，說穿了，它和「買空賣空」差異極小，尤其現在惡名昭彰的連動式債券，連結什麼鬼東西，鮮少人真正知曉。它的學問看似浩大，連動式、債券、發行機構、計

算機制、數學模組。華爾街投資銀行業請來一批數學天才，想出古怪組合，只要看起來可賣，那一年上市銷售市場成功，哪怕一個完全幾近「詐欺」的高風險投資產品，CEO同年就可大大分紅。英國金融時報9月20日整理了幾家問題投資機構去年CEO分紅，照片姓名薪資，一一詳細列表；有點像「金融海嘯」通緝犯名單。而不過數年前，這些人動輒被捧上財經雜誌封面，當個金融之神供奉著。

華爾街當然是個老字號，但它現在名聲與三鹿奶粉差不多；克魯曼稱它賣的是「有毒金融商品」。值得注意的是它可以在台灣銷售成功，並成功把美國次貸債務扔給全世界投資人，依靠的是一套與金融無關的多層次行銷學。

它打動人心有幾套模式。首先雷曼、UBS等一百五十年金字招牌→名稱混淆視聽的金融商品（譬如連動式債券，根本賣的不是債券，而是選擇權）→戴著市場上最夯商品概念（石油、原物料、農作物）→給予高額代辦回扣，引誘全球各地銀行銷售→各國銀行理專再加以包裝成「100％發行機構保本，富邦或中國信託」、「低風險、雙配息、保證6％」等宣傳伎倆→過度信賴理專與銀行的投資人。

這一套行銷學，往往於字裡行間裡隱含著詭詐手段，逃避法律責任。例如明明寫的是「保本」，再仔細看是「發行機構100％保本」，明明DM大字掛的是「富邦銀行」「中

國信託」，右邊角落不到五分之一字體才小註「發行機構雷曼兄弟」。從法律犯意而言，銀行的ＤＭ與簽約書，一初始即找了高明法律及宣傳雙領域專家設

雷曼兄弟十九世紀在阿拉巴馬州從事乾貨生意，後來進軍紐約成為棉花批發商。2008年9月15日雷曼兄弟公司因經營不善，金融海嘯中慘遭「溺斃」，圖為創始者雷曼兄弟長相。（林博文提供）

計「套騙」，整個ＤＭ既誤導又避責，犯意十足。

　　雷曼一倒，理專一臉無辜，本地銀行則拿出法律文字，一一註明「它已善盡告知風險義務」。因為每個買連動債券的投資人都曾拿到一份數十頁厚厚文件，前幾頁告知你「獲利配息模式」，複雜到沒幾個專家看得懂，遑論一般人；中則夾一頁極容易被忽略的「風險告知附件」，簽約時還叫你依標準格式簽名，其間一百行字中有一行字敘述「投資人已知曉所有風險」；當然多數人未必詳查，尤其理專更不會口頭提醒投資人這些附件文字，反而百般吹噓低風險保本。只有等出事時，銀行主管才會如變魔法般，把他們早已知道的真相，一一大聲說出來。

　　於是現代全球金融體系，不是我們信賴的傳統銀行，有若「多層次傳銷」，它不是金融中心，成了吸金中心加賭

場;而台灣本地銀行道德極差,一手向雷曼等國際機構索回扣,一手如老鼠會下線把原本信賴銀行的保守定存存款戶,拖出來購買專家都不知何物的高風險連動債券,一切只為了加收手續費及貪圖華爾街高回扣。它們的行為與轟動一時的鴻源吸金犯罪,有何差別?(2008.9.26)

夢回華爾街

1988年，我剛到紐約；暫居布魯克林高地（Brooklyn Heights）一幢石頭公寓裡。鄰居指著對河雙子星大廈第一排摩天高樓，「那裡是華爾街；1929年跳樓死了數萬人的地方。」布魯克林高地只隔華爾街數個地鐵站，它曾是曼哈頓有錢人的度假區，1900年後華爾街股市炒手們幾乎聚居於此。大蕭條後，高地原本興盛的商店街一片死寂，空氣中泛著死屍的味道。人類先發明了股票與債券，後才發明了防止腐屍的冰箱冰庫，這是悲哀之處。

2008年9月15日，金融風暴又吹向華爾街。同一天美林被併購消失了，雷曼兄弟倒；靠棉花交易起家的投資銀行，走過1929年，見

從未意識年過二十載之後，我們又回到了「華爾街」；無論你以為自己離它有多遠。

克林高地鄰居手指著對河談論華爾街，一段古老的滄桑，一排栩栩如生的歷史建築；我

布魯克林高地大蕭條後，原本興盛的商店街一片死寂。回想一九八八那一年，我與布魯

證美國鐵路史崛起；但它度不完2008年的金融海嘯。如同華爾街早就潛在的命運循環，繁榮之後必是死寂。幸運的是，這次沒有人跳樓。

可能是經濟學家們的黑色預言吧，這幾個月來，我反覆閱讀大蕭條前後的歷史。1929年，中國剛結束軍閥割據的歷史，大蕭條則加速日德經濟破產，也間接促成法西斯主義崛起。那些華爾街跳樓的數萬死屍已預言八年後日本侵華，以及數千萬生命的消失。1929年從此改變了世界，這是當時歷經大蕭條的人們，無法預見的。二次世界戰爭，人類史上最大規模的屠殺，以及戰爭之後前所未有的科學發明與經濟盛世，華爾街總在驚心膽破中，改寫人類的歷史。

我們這一代就能預知2008年915之後的世界嗎？

說美國中心即將消失，恐怕太快。915雷曼等崩盤後，熱錢又從油元快速流回美元。油元早在1970年代以美元計價，美國運用它的外交經濟影響力，早已脫離一般意義的經濟體現象，它等同全球央行；赤字、印鈔票、幣值貶了可增加出口……。華爾街總有本事把它的禍害，讓全球承擔。

談中國崛起，支撐亞洲經濟，也高估了中國在全球經濟中的地位。中國領導人在此次金融海嘯中，最慶幸中國尚未解除外匯管制，沒和全球金融連接一塊兒；否則俄國的

下場就是中國，915單日俄國股市跌幅10％，股市交易暫停一週。中國能求的，就是避風港。

2008年9月我人在上海，為採訪2010年上海世博會。上海十分慶幸當年遠見，申請世博。2006年起上海進行了一番「地下革命」，為迎接2010世博，上海地底下全是挖鑽，鋪天蓋地的建設地鐵。投資規模甚至超出當年浦東特區計劃；2010上海地鐵的哩數將等同倫敦、紐約，2012年後更超越世界各大城市。上海把它視為上天的禮物，誰也沒料到次貸如此危機，原本只為了乘載七千萬人次的世博地鐵建設，如今卻成了最及時的擴大內需方案。

也是歷史的巧合吧，上海上世紀大規模的建設始於二〇、三〇年代之交。絕望的西方資本，跨過半個地球，尋找他們逃離大蕭條的夢想投資地點。那一次華爾街的大挫敗，造就了三〇年代的外灘繁榮。而今上海世博局洪局長，把2010年世博，定位為「第三代外灘」。危機是轉機，中國政府只能以此鼓勵自己。

經濟學家們以「黑色預言」、「金融大海嘯」稱呼我們正見證經歷的時代。回想1988那一年，我與布魯克林高地鄰居手指著對河談論華爾街，一段古老的滄桑，一排栩栩如生的歷史建築；我從未意識年過二十載之後，我們又回到了「華爾街」；無論你以為自己離它有多遠。（2008.9.19）

美好時光之後

清朝名詩人龔自珍一首七絕，尾句：「珊瑚擊碎有誰聽？」酒酣耳熱，縱情朗吟，豪情詩意，不惜以珊瑚敲打酒壺當節拍，只求四座共鳴。七絕裡說著一種人生意境，只為成全一段美好時光，就此殘缺了壺邊，人生亦無悔。

我想引用龔自珍七絕談今日的人生處境。現在經濟衰退，眾人心頭皆苦。這裡頭有著大半因素，只因為我們活在當代，忘不了過去，看不到未來。我們今天的經濟處境，被喻為大蕭條以來最嚴重的經濟危機。經濟蕭條的片刻，凡是過往的繁榮，皆被定義為紙醉金迷，一切都是罪惡，命運成了一種詛咒的報應。這種觀點，不一定正確。

為了等待下一個美好，而每一個美好之後，又免不了經歷一番騷動困頓。二九年大蕭條又像一陣風吹進歐美，一九三七年戰爭之風竟再啟。處於困頓，往往只是歷史，往往像一陣風，經濟循環也是如此。一九二〇年，戰爭像一陣風，吹走了……一九

我舉大蕭條前的時代為例，那個時代在法國被稱為「美好時光」，被美國人喻為「金色年代」，也是許多人今日最迷戀的香頌風格年代。1918一次歐洲大戰停火，瓦礫下的巴黎，國庫耗盡，一切看起來那麼無望，大戰死了一百萬人，創下人類戰爭死亡人數總和，而且死的泰半為男人。巴黎因此女性人口比男性多了近兩百萬，歷經戰爭，女人竟從男人身上感染了豪情。自由主義達到了頂峰，女人急切的想從維多利亞束身衣裡走出來。戰後不過三年，香奈兒女士的褲裝已風靡巴黎，No.5香水正式問世；到了第四年福特T型車，神話般落實了一輛汽車只要價275美元的美夢。世界不停地提供新夢，收音機、電話、吸塵器一一量產問世，人類第一次打敗了空間的限制，以一條簡單的電纜，聽到久違親人的聲音，或者親耳聆聽領袖的談話。接著他們想出了雞尾酒會，有了卻爾斯（Charleston）、扭扭舞（Bottom/twist）等新舞步，女人藉機縮短了裙襬，恣意露出小腿，展示一場千古以來早已存在卻又隱秘藏匿的遊戲。從巴黎到紐約，縱使大西洋仍浪濤滾滾，但橫亙其間的已非傷殘的士兵，而是一場誰也掩不住的縱情渴望。1927年5月21日，查爾斯·林白（Charles Lindbergh）一個人駕駛小飛機橫越大西洋，降落巴黎機場；他已累的無力接受群眾歡呼，立即被送進醫院，迎接群眾仍禁不住，幾分鐘內將林白的飛機外殼拆個精光，每人留下一片

當紀念。

　　這是 1929 年前，法郎崩盤、華爾街跳樓之前，人類史上的「美好時光」。它真是一場罪惡嗎？

　　至少它孕育了舉世知名的時尚代號 Chanel，至今銷售無數的香水 No.5，歐洲女人第一次短髮震撼，以及巴黎女人人人頭頂上的 Lavin 呢帽。1922 年海灘度假已成時尚，幾百年來女人首次丟掉蒼白，追求「古銅黝黑」的健康膚色；那個美好年代至今流傳的，尚包括了香頌、絲襪，以及誘惑而自由的女性風格。蓬蓬裙、束衣自此消失，走入了歷史。

　　歷史，往往像一陣風，經濟循環也是如此。1920 年，戰爭像一陣風，吹走了；1929 年大蕭條又像一陣風吹進歐美，1937 年戰爭之風竟再啟。

　　處於困頓，往往只是為了等待下一個美好，而每一個美好之後，又免不了經歷一番騷動困頓。學學龔自珍的豪情，「座客蒼涼酒半醒……珊瑚擊碎」，總有一天，有人聽！（2008.10.17）

那個歌舞女郎的丈夫，凱因斯先生

凱因斯把專欄當成政治舞台，一枝筆，勝過數百個官。

許多人誤以為美國羅斯福總統一九三三年的新政，源於對凱因斯的請益。事實真相是，

凱因斯只有政治上的敵人，沒有政治上的朋友。他一生瀟灑，至今名氣愈擦愈響亮。

故事起頭於1883年6月5日凌晨3時，英國劍橋大學行政職員的妻子佛羅倫斯開始陣痛，六小時後嬰啼喧鬧，名叫凱因斯的男孩誕生。他的外祖父喜歡「凱因斯」的名字，因為「聽起來像精彩小說主角。」全家族從此認真地栽培小男孩，他們沒料到三十年後，男孩將提出舉世聞名的經濟論點，間接挽救了數百萬甚至數千萬人生計；並在一百多年後，仍如北斗明星般，指引人類迎戰2008金融海嘯。

凱因斯死於1946年，算算今日他若仍活著，已經125歲。我們曾經聽說音樂家比任何行業人物，都能跨越時代；從沒聽說經濟學家死了七十年，仍讓不懂經濟的大眾琅琅上口。

凱因斯原本不打算當個學者教授，他人生第一個選擇立命，為殞落中的大英帝國政府效命。劍橋畢業後，凱因斯選擇參加公職特考，至財政部任職。他的天才使初期工作極為順利，英國財政部的人說他會變魔術，一手收回美國貸款，一手徵收證券於國外賣出。他運用技巧，幫英國在戰爭中維持盈餘。可惜正如所有政治圈的宿命，這個圈子越笨越沒骨氣的越有前途，凱因斯這種曠世天才，待了財政部十四年後，經濟思想與實務經驗都值巔峰，但也因此使他和全歐洲政治領袖，全面衝突。

　　我們聽過一個人得罪人的速度與範圍，我自己是其中「翹楚」，但比起凱因斯實在望塵莫及。大概僅李敖能及吧，這個經濟奇才，當時已三十六歲，他代表英國政府參與巴黎和談，親眼看出巴黎民眾既短視又充滿報復心理，而歐洲領袖們只懂得附和這些愚蠢的民眾。不朽的凱因斯選擇了政壇人絕不會做出的決定，辭職還鄉。但他可沒「情感無法切割，是非只存心中」，兩個月後他寫下了人生第一篇最具爭論的文獻。

　　此文獻不僅反對戰後和約賠款條文，還用了不少形容詞攻擊各國簽約大人物們，威爾遜是個「既聾且盲的唐吉訶德」，勞合・喬治是「遠古時代充滿夢魘……的海妖……，半人形的訪客。」幾個月後凱因斯將其付梓出版，直接訴諸大眾，書名「和平經濟的後果」；雖然最終他在母親的

勸告下刪掉了上述人身攻擊文字，可是從此凱因斯先生成了英國大人物的公敵。英國泰唔士報指摘凱因斯使「親者痛，仇者快」；等於指控他不過只是「共產黨或德國的附庸走狗」。凱因斯說了實話。他看出戰敗德國不可能承擔巴黎和約中的賠償討款，龐大的負債只會使德國人永遠抬不起頭來，最終走向復仇。他不是政治學家，卻早已準確預言希特勒崛起與二次大戰，戰勝者逼著德國人爬不起來，最終也將一無所獲。

已得罪全英國政治圈的凱因斯似乎戰鬥力直比台灣版李敖，和平之文後，他又與英國最難纏的政治人物財長邱吉爾損上。凱因斯文采縱橫，指責邱吉爾犯下經濟滔天大錯，「為什麼要幹這種傻事？」此時凱因斯已是大人物朋友們拒絕往來、全面排擠的對象；凱因斯把報紙專欄當成新的政治舞台，一枝筆，勝過數百個官。凱因斯的文字流暢，用字沒什麼廢話，他深信經濟學家必須有能力說服大眾。那些文字晦澀的專家專論，所以不知所云，不是因為學問高深，而是為了掩飾自己的庸才，才會寫出沒人搞懂的東西。

邱吉爾的不幸是，不到一年後英國全面失業並引發大罷工，凱因斯罵他的每句話都兌現。而這還不是把人比喻為「山羊」的凱因斯人生顛峰。

1929年，大蕭條。一個從未出現的經濟大災難降臨，只

有天才才能挽救這個局面。許多人誤會以為美國羅斯福總統1933年起的新政，源於對凱因斯的請益。事實真相是，凱因斯教授在他的有生之年，只有政治上的敵人，沒有政治上的朋友。他得罪了全英國，好不容易受邀橫跨大西洋與美國總統羅斯福見面，不到一天兩人即不歡而散。凱因斯失望地指出羅斯福不懂經濟，羅斯福也看他不順眼，說他不過是個「數學家」，懂個屁經濟。

凱因斯到了美國後改採他的煽惑策略，不只拿一枝筆，還跑到哈佛大學影響當地「經濟學者」。這些人皆為羅斯福經濟顧問，每週搭火車從波士頓至華府，他們閱讀凱因斯人生最重要的巨作「就業利率與貨幣理論」，避開凱因斯一針見血見式的論政風格，間接把凱因斯的「就業理論」落實於羅斯福的新政。

不過政治永遠不是聰明人的事業，新政數年後，開始有另一套學說「平衡預算」滲透華府；羅斯福停止「大膽舉債」。1937年大蕭條後八年，美國股市再度大崩盤，也啟動了二次大戰。結果凱因斯說服全球經濟的「社會福利大支出」，改成龐大「戰爭大支出」；這才解決了大蕭條！也戲劇性地讓世人後代見證，只有「戰爭」，人類才會毫不猶豫地「大膽舉債」，刺激經濟。多麼愚蠢！

凱因斯一生瀟灑，至今名氣愈擦愈響亮。從小小的政治定義來看，他是位失意的政治人；但從他對世界的影響力

觀之，尤其百年後，更證明他超越多數世紀人物。與他同年代的敵人，嘲笑他，能說的頂多一句：「凱因斯與那個歌舞女郎結婚了嗎？」他的妻子是一位芭蕾舞星，這或許使當時英國的上流社會，舒服些。（2008.12.19）

不是末日

我們已告別長達十四年的高經濟成長率，這是末日嗎？IMF預估全球經濟第四季因經濟衰退將負成長，2009年歐美成長率則為零，一切停滯；聽起來像世界末日。

但如果換一個方法敘述，你們的感覺可能不一樣。人類歷史幾千年來，直至工業革命前，經濟成長率幾乎都是零。無論唐太宗、成吉思汗、伊麗莎白一世、拿破崙，他們統治的國度，或許開了疆闢了新土，豐功偉業下，農業能維持穩定效率，就算盛世了。我們的祖先，若每年能無戰無災，保有與去年相同的農作收入，就得拜天祈地；最豐收的年份，依現代成長率計算，大概了不起0.5％，那已是巔頂歲月！

總之，人類在荒野中度過了數十萬年，才達到今日的富足。讀歷史有個好處，知足常存的人類處於末日，僅有十分之一的年代，人類處於高成長歲月。

如果我們把零成長當末日，我們的祖先泰半皆活在末日狀態。以西元後計算，十分之九

樂，我們活的絕不是末日。

在生產率零成長的前工業社會，與動輒3％以上成長率的現代社會之間，存在的魔術即為著名的工業革命。1790年後人類的歷史開始由一些古怪的機器，稱為飛梭或多軸紡織機改寫。1860年代，光靠紡織革新英國經濟輸出比往日增幅27％。

如果我們把零成長當末日，我們的祖先泰半皆活在末日狀態。以西元後計算，十分之九的人類歷史處於末日，僅有十分之一的年代，人類處於高成長歲月。

高成長未必與幸福劃上等號。工業革命第一批的技術創新者，僅少數成了富豪，多半下場悽慘。發明紡織飛梭的創新者John Kay，後來為了主張他的發明專利，打了一場世紀官司，訴訟不只敗訴，費用還使他一貧如洗。1733年他發明了飛梭，造福百家紡織廠，二十年後1753年他的住處遭忌者毀損，出亡法國，最終潦倒而死。發明多軸紡織機的James Hargreaves也遭到同業眼紅，脅迫生命，他嚇壞了，躲進救濟院，八年後死於救濟院。二次戰後台灣出現第一代的工廠，從紀錄片裡我們看到多軸同時繞轉的紡織廠，發明家就是這個倒楣鬼。他死於1777年，很難想像一百七十多年後，一群太平洋小島上的眾人，將因他的發明，而走入雙位數字的經濟高成長年代。

第一代工業革命先鋒下場好的不多，一位為名為理查・阿克萊特（Sir Richard Arkwright）爵士，探討英國經濟

史中名號響噹噹。阿克萊特爵士曾當過美髮師、開過酒吧，1768年他離開了小本經營的商場，引進紡織機械，成了第一代英國紡織工廠創業佼佼者。英國人常感慨，這個傢伙若一直玩著他的假髮技術，或者與凡人一樣愚蠢選擇開一家魚店，英國歷史可能改寫。他是英國人的經營之神，身故時留下50萬英鎊，這在當時已是難以想像的財富。

經濟學家引用馬爾薩斯靜態平衡，證明人類多數歷史年代都是零成長狀態。但這不表示他們過得很不幸福；至少工業革命後，人類歷史才出現了動輒死亡百萬人與屠殺六百萬人的兩次大戰。零成長時代1120年左右法英出現哥德式建築，1200年北歐有了風車，1544年義大利人開始種植蕃茄，1602年莎士比亞寫了《哈姆雷特》，1450年左右中國出現活體印刷；1860年虱蟲襲擊歐洲葡萄園之前，義大利島上已洋溢著人聲獨特的詠歎調；而十七世紀日本德川一名武士俸錄少則50、多則15000石米，威廉‧亞當斯（William Adams）在其旅日遊記如此描述遠在天邊的「北海」小國，「居民本性善良、溫文有禮……；法律執行嚴格，絕無偏私。這裡是禮儀之邦，我的意思是，沒有一個國度像它這般行禮如儀。」

總之，人類在荒野中度過了數十萬年，才達到今日的富足。讀歷史有個好處，知足常存樂，我們活的絕不是末日。（2008.10.24）

山裡的野薑花

人什麼都沒有，最多的就是時間。社會學家發現，那是美國家庭關係最和樂的年代。如夢中皇宮的電影院。戲票實在太便宜，又可換得完全脫離現狀的虛擬世界，此時美國大蕭條時期也不是什麼都蕭條，大量失業的低迷年代，灰色的美國城鎮造起一家又一家

我們已從金融海嘯，走向經濟恐慌，而且是過度的恐慌。這恐怕是人性的定律，危機來臨前渾然不覺；以致危機發生那片刻，立即轉為發狂式的恐慌。

這是我們2008年10月經歷的一週。華爾街先破萬點，其實不過差個45點，來到9955點；但全球各大報斗大標題都以「破萬點」形容，好似華爾街已然崩潰。於是歐洲、全球信心皆毀，瘋狂賣壓，星期四華爾街再狂瀉六百多點；金融海嘯以乘數的力量擊斃全球經濟；這其中當然包含了太大的非理性心理層次。聰明且冷靜的你，在全球恐慌時期，需要的是「笑傲江湖」「冷看危機」的人生態度。

曾經奢華奔放的華爾街跌

入谷底，王文華在我的廣播節目中開玩笑，此次無人跳樓，恐怕只因現代摩天大樓變更設計，窗戶打不開，華爾街已無樓可跳。10月10日那一天，我到竹子湖山間買一把野薑花，天微雨，白色的花蕊即使只綻放數日，其清香已足述一棵植物擁有的美麗故事。縷縷白煙自小油坑火山口飄出，浮遊白煙逆勢而上，與即將落雨的雲朵結成一塊兒。不算壯麗的山景，當日因著假日，卻已至少容納上千台北人一日的愉悅時光。背著小包，他們踏青尋幽，把煩惱的世間之事，丟在山腳下。

詩人說，時間是一條長河。看得開的人把時局當成蜿蜒的河岸，看不開的人總把前頭川流想像為溺頂的恐懼前兆。半年前，我在相同的專欄即預言此次經濟衰退直比

1929大蕭條，我不好意思指出當時多少經濟學家仍只將次貸看成1973年石油危機，或1987年黑色星期一。這是閱讀歷史的樂趣，初始你看得比別人悲觀，終極你知道一切都會過去。

1929年大蕭條後，的確有一些數字相當驚人，全球資本主義世界的工業生產下降40％，1932年美國工業總產值只及大蕭條前的53.8％，德國最糟，全國鋼鐵產量倒退三十五年。國際貿易銳減，全球工業國失業總人數為5000萬人，各國貨幣紛紛貶值。於是世界從華爾街崩盤，走向恐慌，再走向大蕭條。

德國、日本、義大利因此掀起了法西斯統治，三國分別以發動侵略戰爭，尋找出路。掌控德國銀行體系的猶太人，成了代罪羔羊，被送入集中營；而1931年日本大舉入侵東北，開始了日本對中國全面的戰火屠殺。

美國人往往把大蕭條形容為「世界末日」，但真正末日的並非搞垮全球的美國人或華爾街投機客，而是與華爾街毫無牽連的德國猶太與中國東北人。華爾街跳樓後不到十年，1938年起，他們橫屍百萬，遍野歐亞土地，二次大戰啟動，竟也終結了大蕭條停滯的經濟。

大蕭條時期也不是什麼都蕭條，最有名的例子，一為戲院崛起，另一為塑膠的發展應用。大量失業的低迷年代，灰色的美國城鎮造起一家又一家如夢中皇宮的電影院。戲

票實在太便宜，又可換得完全脫離現狀的虛擬世界，此時美國人什麼都沒有，最多的就是時間。社會學家發現，那是美國家庭關係最和樂的年代，老小兩輩夫妻攜手，共同從事不怎麼花錢的休閒活動。

而1929年至1932年，服裝時尚產業也歷經摧枯拉朽的階段。世界各地從日本到愛爾蘭，從瑞典到紐西蘭，從加拿大到阿根廷到埃及，全都掀起了大動亂，誰買衣裳呢？大蕭條不到三年，巴黎最著名的時尚小姐CoCo Chanel決定跨出第一個試探的步伐，她知道富豪們口袋裡還有錢，只是太害怕了不敢花錢；於是跨足珠寶設計領域，在她的巧手中，珠寶不只是一顆鑽石，它成了一門時尚表演，Chanel為曾經美好年代的巴黎，又帶來了另一波新熱潮，直至德國入侵才結束。

大蕭條第三個快樂產物為足球。1930年第一屆世界盃揭幕，烏拉圭奪魁，透過剛剛發明的收音機，比賽緊張過程傳播全世界，當年收音機大賣，使家電廠商成了大蕭條中的科技新貴。

閱讀過往歷史，勸君別跟著他人過度恐慌。每一個經濟都有它的循環，至少我們這一代，戰亂不會重現，屠殺不致降臨我們的土地。所謂經濟正同一株野薑花，花開花謝，只要它仍深植土中，終有再綻放的一天。（2008.10.10）

千古絕唱

輯 *2*

曲終人不散——孟小冬與梅蘭芳

評家、記者，迷戀傾倒於孟小冬，因為她比「男人還像男人」。開頭就學老生。她十二歲無錫第一回登台演出，唱念做表已成大角風範。許多文人、劇孟小冬一生坎坷，出身比梅蘭芳更卑微，小他十三歲。孟小冬九歲學戲，嗓音寬厚，一

沒人會把孟小冬寫於梅蘭芳之前，除了我。

梅大師故事精彩，說的、寫的、演的，百年不散。孟小冬卻隻身孤死於台灣，享年七十。大概可憐此位女子的身世吧，孟小冬與梅蘭芳結緣僅六年，卻纏繞孟小冬一生。她與梅蘭芳的愛情在一場社會刺殺鬧事後匆匆結束，梨園男子人生已嘆幻化如影，何況連原姓董或姓孟都說不清的梨園女人？

性別反串一直是環繞京劇最精彩的元素之一，反串的戲劇張力，不為劇場效果，僅為避開那個年代男女授受不親的禮教規矩。想像一下，同台之戲，「貴妃醉酒」，虞姬自唱訣別歌，一面掩面而泣，體漸後仰，終場由項羽攬住其腰。若台上

孟小冬扮女相，最美之處是秋水如神的眼睛。算命的說，就是這雙眼壞了她的婚姻。右圖為孟小冬扮鬚生，很難想像是同一人。（杜美霞女士提供）

演的全是真實男女，那個保守年代，恐怕「動搖國本」。於是舞台上，要嘛儘是男，要嘛儘是女。這是民國初年，表演中國的反串佳話。

孟小冬一生坎坷，出身比梅蘭芳更卑微，小他十三歲。有關她的身世，是養女或梨園之後，僅略為透露；伶人在那個年代社會地位十分卑微，好不容易成了名，很少多說往事。只知孟小冬九歲學戲，嗓音寬厚，一開頭就學老生。她十二歲無錫第一回登台演出，唱念做表已成大角風範。人生十八前，走唱故事很像我們當代的天后江蕙小姐。十八歲孟小冬野心勃勃，她知道除非在北京「占數十吊一天」，不能佔菊壇一席之地。這麼年輕的女子，已有了我們現在年輕人三十歲都沒有的遠見膽識，1925年丟下了自己在上海已奠定的「三百口同聲叫好」地盤，先赴天津，再征北平。

說起來男女實在太不公平，那時候北京梨園規矩，女性反串的坤伶只能在「城南遊藝園」演出，地點可不是男旦青衣梅蘭芳等人可上的正式戲台，而是前門大街上大柵欄夜戲團。出了園門口，街旁儘是雜耍、豆腐攤、執大壺沏茶，與討飯的乞丐。孟小冬在這個條件下，竟與馬連良、楊小樓、言菊朋、程硯秋、尚小雲，甚至梅蘭芳名伶齊名，掙得獨當一面的美號。許多文人、劇評家、記者，迷戀傾倒於孟小冬，因為她比「男人還像男人」，天津《天風

報》捧她為老生行中「皇帝」，簡稱「冬皇」。1925年8月，孟小冬參與了北京第一舞台的義演，算算民國十四年，民風已漸漸開了，「五四」帶來了自由戀愛，徐志摩與陸小曼早動搖了北京的禮教國本。但大家捨不得丟了「反串」，反而浸淫於「反串」，於是孟小冬破例以「坤伶老生」被點名邀約演出。大軸梅蘭芳、楊小樓「霸王別姬」，壓軸余叔岩、尚小雲「打漁殺家」，倒三出場的則是年僅十八的孟小冬與裘桂仙對演「上天台」。從此整個北京城風靡兩位反串人物，男扮女的梅蘭芳，女反串男的孟小冬；這是戰亂中，亢奮的北京，為一個「比女人更像女人」的梅蘭芳，也為一個「比男人更像男人」的孟小冬。舞台上梅蘭芳時演浪勁十足的楊玉環，時扮以身殉情的痴情女虞姬。中國女大學生藉看梅蘭芳的戲，想像自己的角色奔放；再看孟小冬的演出，女鬚生陰陽顛倒，平時愛穿男裝、頭髮剪短和今日周美青一樣，在西蒙波娃《第二性》著作真正問世前，中國女學生們透過孟小冬，早已有了性別解放的異想。

這是一個禁忌中國的秘密。同性戀的李叔同，集音樂作曲家、畫家與名門之後的身份，他的同性愛意傾向不能明說，只能透過上台表演反串西方女子茶花女，與其他男人對戲時，才能渲洩內心糾纏激情；平時呢，李叔同則「找些女人的頭套和衣服，一個人在房裡打扮照鏡子」；三十

八歲那一年，痛苦不堪的李叔同，決定出家，丟掉紅塵羈絆，也丟掉了他的情慾掙扎。

梅蘭芳成名全球，固因他對京劇從角色、到台詞、劇本的藝術造詣及創新；但反串仍是焦點。當他登台到了紐約，49街劇院為之瘋狂的美國觀眾，有一大半為女人。反串柳隨春進窯、「叫簾」五次；反串「朱桂芳」耍大刀，叫簾三次；終場演出「費真娥刺虎」，梅蘭芳伸出「美國雕刻家一致公認世界最美麗的女人之手」、扮相「東方新娘」，變幻燈光下，飄飄走動著，欲語還休。曲終之時，謝場十五次之多。初始梅蘭芳還穿著真娥戲服謝場，低聲道「萬福」，後改長袍馬褂，美國觀眾發現他真是個男的，全場瘋狂；梅蘭芳僅拘簡地含謝鞠躬；女觀眾們這下再也無法壓抑對「Mr.梅蘭芳」的異想，大喊「Bravo」，並苦求梅先生著西裝禮服。於是梅蘭芳以標緻白色燕尾服站在紐約女人的面前，這是大蕭條後第二年1930年，唐德剛先生回憶，「亂頭粗服」，都掩不了國色，「況西服乎」。

就在北京人沉迷這場性別反串的夢幻戲外，孟小冬開始了註定另一場悲劇角色的錯回人生，悄悄愛上了梅蘭芳；她忘掉了台上的「反串角色」，當起了梅蘭芳的女人，與梅蘭芳演起了四年愛情故事。1927年倆人以非公開儀式結婚，1931年因一起京城血案事件，鬧的北京大小畫報轟動一時。從來不真實也無法曲終的梅孟之緣，就此散了。京

孟小冬六十歲自港來台，捨飛機乘輪船，只帶著三隻狗。圖為孟小冬與愛狗
「香檳」，難得冬皇顯見母性溫柔。（杜美霞女士提供）

城血案中開槍戲迷，後來給警察司令斬首，頭就吊在大柵欄電線桿上，恰巧也是孟小冬北京成名的前門大街。

孟小冬之後又跟了上海灘名人杜月笙，先做梅老闆三房，再當杜老闆五房；人們說她是為了復仇梅蘭芳出口氣。她一生老是忘了戲裡的自己，只想掙個戲外的名份。這位「千千萬萬人裡難得一見的女中豪傑」，北上京城舞台成了鬚生大角，卻過不了舞台下女人的愛情大關。梅蘭芳的真實性別傾向，一直爭論至今；但是當「事業」與「愛情」該做什麼抉擇時，梅蘭芳毅然決然地選擇了多數男人的答案。1931年，梅孟不只離異，「京城血案事件」更是

不論什麼扮相，什麼年歲，孟小冬永遠漂亮。圖為孟小冬與杜月笙。（杜美霞女士提供）

謠言四起；梅黨們與輿論將一切過錯歸予孟小冬。孟小冬先看破紅塵，茹齋念佛，但終究憋不住這口氣，登了一則「緊要啟事」：「蜚語流傳、誹謗橫生……與梅蘭芳結婚，年歲幼稚，……梅含糊其事……不能實踐前言，至名份頓失保障……，與梅蘭芳交往前，從未與人來往……今日各方妄造是非

……訴之法律一途。」人言可畏,女是禍水,這是女人為男人放棄自己事業的宿命。

當了杜月笙五房多年後,1949年大陸易幟,杜月笙又失勢。蔣經國在台灣逐漸掌權,並令曾是蔣介石道上紅人杜月笙,不得來台;孟小冬只好跟著杜月笙暫居香港。直至1950年孟小冬與杜月笙計畫去美國,孟小冬質問杜月笙「我這去算什麼護照身份?你的丫頭?你的女朋友?」杜月笙這才和她在香港拜堂,孟氏掙得了一生得不到的名份;那時孟小冬已是四十三歲的女人了。而得了名份的孟小冬,只當了一年杜太太,杜月笙先生隔年走人,病逝香港。

1967孟小冬六十歲,由香港轉居台灣,來台十年。扛著杜月笙未亡人名份,此時更無人捧她;伶人們只要政治上與當權不合,再「冬皇」,也不會有人票戲,掙不得地位。據說台灣十年,她不應酬,不演出,更無授徒。冬皇一生由盛而衰僅18歲至24歲,從此人生即逐步歸於淒涼。1977年,演不了真實女人的孟小冬病逝。斯人走後,張大千為她敬題墓碑,「杜母孟太夫人墓」,總算各院院長皆輓聯致祭,雅士千人敬悼;還了「冬皇」一點公道。一代佳人或一代豪傑?分不清什麼身份,孟小冬就此寂寥,韻落異鄉荒域。

張大千題字「杜母孟太夫人墓」,這是當年羽扇綸巾的「冬皇」,真正想要的嗎?(2008.12.17)

千古絕唱梅蘭芳

梅蘭芳是第一位把中國京劇帶到世界舞台的藝術家；2007年10月底，北京一座現代建築京劇院落成，以他為名。

二十一世紀崛起的中國，尋找一位觀眾們都已老字去的京劇名角當符號，它的意義讓我想起倫敦泰晤士河南岸都市更新計劃中的莎士比亞劇場。梅蘭芳大紅於中國最沒落的年代；戰亂愈大，他愈紅。他的票友們，多半已亡故；即便傳人梅葆玖、梅葆玥到台灣演出時的觀眾，都已是蔣緯國、陳立夫那一輩的人。

1949年中共剛取得政權，10月1日梅蘭芳參加了「開國盛典」，共產黨大幹部們最常和梅蘭芳打趣的話，多半是「大冬天把鋪蓋

台下私人生活更成了戲。

小雲等名角扮相如好萊塢般的明星，送到劇院外的非京劇觀眾。於是梅蘭芳台上是戲，

梅蘭芳出生那一年中國開始了大災難，可是畫報等通俗流行刊物的崛起，把梅蘭芳、尚

京劇《生死恨》的劇照，梅蘭芳飾演韓玉娘。

都賣了，就為了瞧梅老您一眼。」章詒和回憶她父親1956年看一齣蹺功戲，後排坐著賀龍，一拳打在章詒和父親後背上，接著笑說：「他媽的！所有的部長都來了，比國務院開會還積極。」

現在則不管梅派、余派，即便京劇發跡的北京京城，京劇觀眾已全然換了一批新人；其中一大半還是迷戀百年中國戲曲文化的洋人們。正如法國亞維儂藝術節，教皇劇場的古典演出，多半為來自全世界的觀光客。中南海的新政權貴，平均年齡不過六十，梅蘭芳大紅的時候（1914～1937年），他們有的還沒有從娘胎裡出生。

京劇當年大紅，拜兩個中國惡名昭彰的人事因素。一是慈禧，一為現代庸俗媒體畫報的出現。梅蘭芳雖說家裡三代都是名角，但他祖父與父親那輩唱戲的人，可苦得很。他的親生父親梅竹芬，不選戲、不講價、也不能挑班，最後唱死累死在舞台上，不過二十五歲。祖父梅巧玲少年時給班主打得手掌稀爛、紋路都瞧不清楚；後來雖唱出點名堂主持「四喜班」，也得開設「堂子」，就像今日酒樓，手下戲班子以「男色」誘酒兼唱戲，才得維持整班的生計。

梅蘭芳出生那一年中國開始了大災難，慈禧把擴建海軍的錢挪蓋頤和園，並全力推展宮廷戲劇；北洋水師覆滅後十天，梅蘭芳誕生了。另一個大利於「梅式傳奇」的因素乃明星制度透過「畫報」，成了塑造家喻戶曉知名人物的最

梅蘭芳曾為日本震災義演，日本佔領上海後，梅蘭芳封口不唱戲，蓄鬍明志，
生活一度困窘。圖為梅蘭芳便裝照。

佳推手。梅蘭芳一出生，時代即陷於動盪中，按理民生更
壞、時局更亂，唱戲的理應比過往更苦。可是畫報等通俗
流行刊物崛起，把梅蘭芳、尚小雲等名角扮相如好萊塢般
的明星，送到劇院外的非京劇觀眾。於是梅蘭芳台上是
戲，台下私人生活更成了戲。他的反串已不只是傳統戲曲

的扮演，出生於堂子，結了三次婚，似女似男；第三任妻子孟小冬也是名角，在舞台上還反串老生。於是男的看似女，女的望似男；倆人既結婚，又常轉換性別角色。孟小冬後來與梅蘭芳離異，跟了杜月笙。這種原本在梨園中常有的私情糾紛，透過畫報的加油添醋，給守舊的中國帶來無與倫比的話題，甚至直追徐志摩與陸小曼的結婚宣告。

梅蘭芳夠美，章詒和曾向我透露梅蘭芳「包裝」的訣門。梅式耳朵特大，且有點招風耳之不雅型態，梅蘭芳登台前把耳朵往後一黏，蓋上頭套，扮相即沒了缺陷。而台下平時，梅蘭芳總是一襲乾淨白襯衫，絕不含糊。眉修、膚潤，從不像中國男人般邋遢。現代東京流行的「花美男」，比起梅蘭芳整整晚了一百年。

上海被日本人佔領後，梅蘭芳封口不唱戲，且蓄鬍明志，辦畫展謀生。1945年後，他開口再唱已隔八年，觀眾們覺得梅嗓已不如從前；可是他抗日加入了愛國色彩，更加偉大。1951年他出任中國戲曲研究院院長，確定了藝術宗師的地位，1961年，67歲病逝。死前四天梅的大戲迷周恩來知道他不行了，還特從北戴河趕回北京探視病情。他死得早，還好沒遇上文革；2007年新北京崛起後，以他招牌為名的劇院，向全世界花枝招展地唱起新京城的戲。

國難時他紅，文革時他死，等中國再崛起，梅蘭芳居然又復活了。（2007.12.7）

在北京見章詒和

章詒和，聽著她家的故事，眼神也顫抖著……五十年來中國女作家最好的文筆，為摯愛的父親寫下無法如煙的春秋往事。在北京見著在兩岸的歷史中，章伯鈞等人的故事均是留白空缺的；直至章家小女兒開始撰書。以近

1900至1959，中國政治的不平凡之處，在它迫使眾多知識份子離開書桌和書架，進入政治權力的場所。每一次的選擇，都是大陷阱。回頭來看除了死的早如魯迅、或題材以老舊家族叛逆與覆滅寫下愛情傳說的張愛玲之外，全中國知識份子無人倖免必然的世紀悲劇中。

1949分割了兩批知識份子，雷震等來了台灣，章伯鈞等留在大陸。他們都不喜歡蔣介石或毛澤東，但除了走避美國與洋鬼子雜混外，他們被強迫在兩個壞蛋中選一個；歷史悲痛的最後實情，無論哪一項選擇，他們全都以牢獄含冤結束一生。

在北京見章詒和，章伯鈞的小女兒。我們落腳喝咖啡

的地點，位居王府井，離中南海北京權力中心約莫二十分鐘車程。到底還是章伯鈞的小女兒，儘管家業垮了，自己曾噹噹入獄十年，章詒和還真維持了「最後貴族」的優雅習性，拿出兩只考究的圍巾當見面禮。雲山幾盤、江流幾灣，歷史轉了那麼多角落，章家的小女兒還是在歷史的長流中，硬生生為她摯愛的父親，留下時代的側寫。

章伯鈞，中共1957年反右鬥爭中頭號戰犯，也是中國憲政史上第三勢力領導人。中華民國憲法第一條「民有、民治、民享之民主共和國」，民主二字即為章伯鈞所加。章詒和幼年時曾問她的爸爸：「你們為什麼失敗？犯了什麼罪名？」章伯鈞簡答：「我們說的太多，我們懂得太多，我們幫得太多，我們受教育太多。」總計反右整肅了五十五萬說幫想皆太多的人，章詒和在她的新書《雲山幾盤、江流幾灣》中如此感慨：「中國任何一次的社會浪潮，都是極少的人興起了，很多人消失了，許多人被鎮壓了。」

章詒和沒寫的是，多半人也忘記了。章伯鈞與雷震、殷海光那一輩的故事，是一頁永遠寫不滿、也寫不盡的稿紙。當一個國家只有兩個荒唐的主義與荒唐的領袖供人選擇，歷史的逆流必要淹沒那些懂得多也愛得多的人。這幫子人比我早生了五十年，章伯鈞跌落那一年，我正好出生，再隔一年雷震被捕；戰後的中國知識份子先經歷了社會主義巨大的成功，再眼見徹底的破滅。反右終了共產黨

章詒和，北京最好的一枝筆，為摯愛的父親寫下無法如煙的春秋往事。

的神話，曾令許多人揮淚流血的民主近代史，以快餐速度再造就一個極權新政體。一切夢幻皆了，最後了結那一輩以生命愛國的知識份子。

在兩岸的歷史中，章伯鈞等人的故事均是留白空缺的；直至章家小女兒開始撰書。《往事並不如煙》、《一陣風，留下千古絕唱》、《伶人往事》、《雲山幾盤、江流幾灣》，一本接著一本；毛澤東1957年剛說著「事情正在起變化」，之後多少人即家破人亡、妻離子散。毛死後三十年，「事情正在起變化」，大右派章伯鈞竟留下了一位小女兒，她沒給老毛的牢關死或關垮，以近五十年來中國女作家最好的文筆，為摯愛的父親寫下無法如煙的春秋往事。

章伯鈞晚年曾和章詒和說起楊樹的故事，「耶穌粘血的十字架，就是楊木做的」；從此人間的楊木即不停顫抖著。我因時報出版總編輯林馨琴在北京見著章詒和，聽著她家的故事，眼神也顫抖著。百里城郊外鳥巢建築正崛起，前衛北京忘卻不了那古老的往事啊。剎那之間，詒和在我顫抖的眼神中，長得比「鳥巢」還巨大。章伯鈞，好個章伯鈞，竟留下這麼一個好女兒。我想像老毛懊惱的聲音；三十年後，真正在歷史留下來的，將是屬於章家的故事了。（2007.8.17）

夢想與悲憤

從北京奧運煙火的中軸線，閱讀歷史，在時間的長河裡，我們從鳥巢、永定門、紫禁城、圓明園……一路望向居庸關，等於閱讀了近六百年的中國歷史。其間夢想或悲憤，只有一軸之隔。

從北京奧運煙火的中軸線，閱讀歷史，在時間的長河裡，我們從鳥巢、永定門、紫禁城、圓明園……一路望向居庸關，等於閱讀了近六百年的中國歷史。其間夢想或悲憤，只有一軸之隔。

八月八日夜晚，這是蔡國強一生施放煙火的最大一場表演，也是他著名的、央視無法轉播的尋根腳丫煙火之旅。剎那間，六百年的中國歷史全在蔡國強燦爛的煙火中被回憶，也被感慨。

北京奧運，沒有幾個北京人從八月八日、或僅僅一場體育盛事描述它。一個當夜值勤全身溼透的年輕志工如此期許自己：「這是我爺爺奶奶等了一輩子，等不到的中國。」他從上午即被分配

北京奧運在燦爛的煙火中揭開這源自西方文明的體育盛會。（中國時報資訊中心提供）

　　站立「土城站」地鐵入口，這是北京城唯一通往奧運場館的路，當天全球九萬個人都得通此要道，入「鳥巢」參加開幕式。年輕人沒給自己多帶瓶水或毛巾，當天北京的霧濃濃厚重，他的心情也是。

　　擔心恐怖攻擊、擔心安檢過嚴遊客不滿、擔心天下起大雨人工消雨彈失靈……，年輕人在擔憂的心情下沒忘記一路保持微笑，引導全球不同膚色的客人；為自己的爺爺、為父親站在這裡，為一條曾經輝煌日後衰敗的中軸線站在

閉幕時，會場中用布幔搭起的友誼之樹，大家相約倫敦見。（中國時報資訊中心提供）

這裡。當煙火自鳥巢上空如反方向的瀑布往空中升起時，他和身邊的年輕志工們都哭了。三年的志工訓練，百年的奧運夢，三個世紀的衰敗，北京這一刻，不容易啊！

　　從北京奧運開幕儀式回來這幾天，我逐漸淡忘了張藝謀華麗炫目神話般的演出儀式。那位我已走不太動，沿路扶著我的年輕人，他談話的點點滴滴反而不斷地浮上我的記憶。

　　每個北京人都在強大的歷史感與夢想的驅策力下，投入

這場奧運。你是民工、你是參與計畫的建築團隊、你是志工、你是提著烏紗帽賭鳥巢前衛建築會廣受歡迎的副市長、你是廣場裡噙著眼淚看奧運轉播的小市民。無論大官、無論小民、無論演出者、無論爆破工程隊……。夢想，像一張龐大的網，把他們無邊無際編織成無形的鳥巢鋼材彼此環繞擁抱。一位導覽我們上車的洋人義工，她已參與了七屆奧運回憶：「這是史上最大體育會；沒看過全國那麼多人，只為了共同努力一件事。」

北京奧運西方媒體從質疑、批判、改為讚嘆，因為他們看到了中國人的歷史情感與悲憤超越。中國不再自願隔離於世界，憤怒與狂熱的復仇心理逐漸遠離了這個古老民族。當「日本隊」走入會場時，北京鳥巢觀眾給予極大的掌聲，美英法義荷……八國聯軍全回來了，一起與北京在歡樂中，共同頌讚一場源自西方文明搖籃希臘的體育盛會。

北京走到這條路很不容易。不談古老的戰亂事蹟，就從2001年7月13日申奧成功那一天起，全球多少人，一路唱衰京奧。2001年三大男高音在紫禁城午門前演唱，已被看成了不起的開放大事。在此之前，北京幾乎宵禁，夜晚沒處可去；什剎海仍留著慈禧後花園年久失修的模樣，皇家糧倉只是一群爛胡同違建旁的古建築。北京奧組會初組成，延攬了一批說英文新華社的老傢伙，三年前我們前去

拜訪時，接待人如趕牛口氣，典型官僚，問起台北將辦聽障奧運之事，態度鄙夷至極；直至蔣效愚主委出面，客客氣氣接受我的訪問，工作人員才又勢利眼地來個態度大翻轉。

而國家大劇院、鳥巢、水立方等前衛國際建築，正面臨國家院士帶領全中國百名建築系教授上書，「毀了北京城！」。溫家寶點名批判央視庫哈斯建築花五億美金，不知民間疾苦；鳥巢被政治局常委施壓停工，未施工半年……。提著頭幹活的北京市委書記劉淇與他的幕僚陳剛，不斷地向上層溝通，並且被下令，奧運前一天都不能離開北京。

堅持了幾年，鳥巢築起，開始有了掌聲，企業總部也紛紛在此氛圍下延攬國際建築師。北京的房產界流行一句話，「上海的建築是膽小鬼，貝聿銘已過時，別老找咱中國人。」於是日本限研吾、美國Stephen Hall……全球頂尖建築師共在北京短短幾年內完成39棟國際性建築，其中有三棟包括鳥巢、央視被列入世界十大建築奇蹟。

夢想與堅持，使北京真正贏得了尊嚴。不再賣弄歷史大國的窘態，也不願停留悲憤式的歷史苦難，北京的夜晚上空，八月八日終於有了2008個笑臉煙火。

微笑、汗水、伴隨著骨子裡的淚水，中國完成了爺爺奶奶那一輩作夢都想不到的奧運。我只有一句話留給心愛的

台灣：夢想與悲憤只有一線之隔。夢想使我們不斷地努力往上升，悲憤使我們停留往下沉淪。還要活在屈辱與被壓迫的悲情中，多久？（2008.8.20）

北京的回憶

清醒，往往得從帝國神話的死亡開始。八月八日，北京奧運開幕儀式，只有在迷狂中還相信中國永恆盛世的人，才會同意張藝謀的歷史詮釋。中國曾經繁華，但近代中國是一個從殘破中重生的歷史；這是鳥巢、水立方令人讚嘆之處。鳥巢總計用了可打造兩艘航空母艦的鋼鐵建築完成，水立方以泡膜製成像溫婉的女主角；完成作品的建築師分別來自瑞士赫爾佐格雙人組及澳洲建築團隊。地球兩端的夢想家為北京奧運留下最後的歷史詮釋，當中國不再只宣揚自己的盛世，中國願意將自己最古老也最驕傲的土地交予最前衛的世界夢想者時，中國才真正跨越了它的悲苦年代。

多次了，而每次吶喊的歷史結局，都是悲劇。要笑臉、需要溫柔，它最不需要的就是集體、狂暴式的吶喊。那樣的北京，早已演出太一百五十年來，一直活在戰爭、鬥爭中的北京，終於得到月娘寧靜的美麗祝福。北京需

張藝謀在洋式鳥巢裡，以人海戰術塞滿了盛世傳說，從文、武、筆、墨、印刷術發明，到鄭和下西洋……，滿巢遍是他的人海黃金甲，以藝術創作而言，美術設計固強，但創意空泛。當兵馬俑吼的越大聲時，中國崛起的意義就更小。在張氏歌詠的巨大呼喊聲中，我寧可觀賞流連鳥巢上空的彎月，纏綿著北京；百年來見證死亡如何無情的苦苦追逼北京人；一百五十年來，一直活在戰爭、鬥爭中的北京，終於得到月娘寧靜的美麗祝福。北京需要笑臉、需要溫柔，它最不需要的就是集體、狂暴式的吶喊。那樣的北京，早已演出太多次了，而每次吶喊的歷史結局，都是悲劇。

「開放」，沒有陰影的開放，才是整個中國民族復活救贖的秘密。2005年8月，三年前，我第一次見證了新北京規劃的藍圖，北京也在那一年揮別了宵禁，開放什剎海，把慈禧的後花園，交給了北京夜晚的男女們。全球最傑出的建築師們皆在北京留下作品，繼郎世寧圓明園的巴洛克花園後，這是西方再次大規模地回到了北京，不為掠奪，而是將北京當成他們建築才華的表演競技場。我曾如此讚嘆北京的改變，三年前還是城市規劃館主任，現已是副市長的陳綱，這麼回答我，「文茜，一個城市要往前大躍升，它最需要的是新的思維。」

從2001年7月13日北京申奧成功那一天起，北京日夜

鳥巢耗費4.2噸鋼材編織而成，為世界跨越最大的鋼結構建築。（沈正柔攝影）

沒有停過，狂風暴雪仍有工人們為他們不知何物的鳥巢一段一段地焊接鋼材。北京故宮2002年也啟動了大整修，北京故宮鄭院長望著本已是斷垣殘壁的建福宮，曾慨嘆，「中國啊！造了什麼孽？」自從1925年溥儀的太監們一把火燒掉了藏寶的建福宮後，紫禁城裡就留下了這麼一個破落戶般的殘石亂草角落；直至2002年前，中國既無錢也無暇修復；足足77年。

這些歷史當然都已經過去了。回顧百年，中國走到這麼一步，太不容易。1932年，中國第一次派人參加奧運，只一個選手，東北人劉長春，奧運各國進場就他一個人孤伶伶地扛著中華民國大旗，代表數億中國人走入會場。據說他的出賽，還是少帥張學良出了8000大洋換來的。

而1908年第一個中國人提倡奧運，南開大學張校長，他提了奧運三問，「中國何時派選手？何時得金牌？何時舉辦奧運？」1908年至今2008，正好一百年，北京才終於舉辦了奧運。

2008年8月8日晚上11時30分，居庸關放完煙火，那一夜北京人滅了燈，沉沉睡去。那個亂世北京，真的遠去了。（2008.8.8）

從北京到天津，殘月京夢

北京溫柔許多。

置落於天津。它固是一個不完美的京夢，但終因為夢，它的市貌風景因此比北京美也比天津到北京，像一根扁擔的兩端，百年近代史，凡洋人或中國政客北京求不到的夢，全

從北京到天津，僅二小時車程；卻讓袁世凱、曹錕等人走了一生的殘月京夢。

民國之後，北京政局每三年換個新主子統治；易代之際，凡垮台之政客即「近」赴天津，有居英國租界，有躲法國特區，有築屋義大利風情居者。短短民國，五大總統，除孫中山外，晚年全落腳於天津。天津古名，即為天子之渡口；八國聯軍後，各列強開埠租界天津；從此竟成了落難「天子」東山再起的最佳基地。它退可受洋鬼子保護，進可伺機合縱北京政局，凡躲居天津的政客，帶著大把銀子存入八國銀行，沒一個安好心。

政客無論多老、多落魄，總忘情不了政治，這是政治人物的悲哀；而避居天津的

民國人物，無論多麼熱衷佈局，沒一個反京成功；卻總在盤算中，西望京畿，順道給自己在天津買個好洋樓，過點好日子。

惟一例外梁啟超，梁氏本為廣東普通人家後代，他跟定老師康有為後，從此改變梁家幾代平凡的宿命。戊戌變法雖敗，梁啟超適時逃走了，之後他數度不忘情政治，挺孫中山，和袁世凱、曹錕等人均合作過。一生政治總跟錯人，這是梁啟超的悲劇，一個判斷力極差勁且失意的政客；不過，梁啟超在天津可度過他一生最愉悅的歲月。

天津義大利租界區至今仍保留梁啟超兩棟故居，一棟供梁家人居住，一棟為梁啟超書房，也就是著名的飲冰室。兩房座於同一院落，一大一小，2005 年經天津市整修後，故居與書房皆有模有樣。

飲冰室書房書櫃特高直頂屋樑，以菲律賓木材製成，至今書房仍保有梁啟超當年使用的兩座老書櫃，其他為一比一依照片仿製。梁啟超在飲冰室的大號書桌上寫下「護國運動」討袁宣言，這是他一生惟一一次成功的政治行動。之後梁辦《上海時報》，遊居歐洲，再回天津後，梁啟超恐怕想開了，只問荀子學術，不再過份談政治了。

梁啟超另一故居，大致住了梁的家人包括遠從廣東來的親戚；因此屋雖比飲冰室大，房間卻隔得多也隔得小，梁啟超的兒子梁思成在此無憂無慮長大，之後成為五〇年代

中國最重要的建築專家。從天津大沽口登陸的八國聯軍悲劇歷史，留下了美麗的租界與免受戰亂的角落，歷史的答案永遠令人驚異。

袁世凱在天津則遍嚐世道艱辛，他起家於天津，練兵發跡於此，洪憲帝制垮了以後，袁回河南老家，本想再回京畿。於是這位當不成皇帝的大老粗，在天津蓋了最精巧的首府洋樓，面海河，內藏隱身處，一幅精心策劃模樣。沒想到生了大急病，首府沒蓋完，袁已歿於河南。如今首府成了大酒樓，美麗的義式窗台成了後代賓客笑看荒唐皇帝夢的倚身之處。

天津到北京，像一根扁擔的兩端，百年近代史，凡洋人或中國政客北京求不到的「夢」，全置落於天津。它固是一個不完美的京夢，但終因為夢，它的市貌風景因此比北京美也比北京溫柔許多。

到北京，應順便一遊天津，才算完整見證了近代政治史的全部京夢。（2007.8.10）

全聚德取洋名

嚐食一口全聚德包餅烤鴨，從此奠定中國千年飲食文化的國際地位。

風頭始於尼克森一九七二年訪中時，老毛指引著滴油切一○八片的北京烤鴨，要尼克森全聚德的養鴨場與烤鴨爐，歷經清廷、民國數不清大總統、到老毛、老鄧至今。它大出

為了 2008 年北京奧運，近二百年歷史的烤鴨店全聚德正徵求洋名。全聚德向來標舉自個兒養鴨，其養鴨場與烤鴨爐，歷經清廷、民國數不清大總統、到老毛、老鄧至今。它大出風頭始於尼克森 1972 年訪中時，老毛指引著滴油切 108 片的北京烤鴨，要尼克森嚐食一口全聚德包餅烤鴨，從此奠定中國千年飲食文化的國際地位。

全聚德鴨子，自古即馳名，但若真依古法烤食，現代人嚐起來覺得太膩。它的養鴨法，逼每隻鴨子身上生了一圈又一圈的肥油；鴨長到了第七十天，從此入牢，不准活動，罩竹籃子網匡於其中，北京人俗稱圈養。我曾比喻這種養鴨法有如現代

上班族，坐電腦辦公桌前不動，肚子自然長了一圈又一圈的肥油。北京上等烤鴨法不許鴨子如馬英九般天天慢跑；運動太多了，肉老了緊了，烤鴨時油榨不出來，穿過鴨肉滴進柴裡，鴨片也無法脆如皮片。

全聚德活了兩百年，到今天面臨了兩大難題：一、古人沒油吃，愛吃膩著油的鴨，但樂活時期，人已不食油膩，老全聚德古法烤鴨皮固脆但肉太油，這是第一難題；第二難題真正愛嚐全聚德的還是老外，2008奧運該給翻個什麼洋名呢？

北京式的英語，決定給它來個直譯縮寫，QJD；實在太不知所云。其實老外愛吃全聚德，全拜1972尼克森之賜，換成法國神廚可能乾脆英譯為Nixon Beijing Duck。我曾訪問法國人稱神廚的Paul Baocuse，自1970年至今年年得米其林三顆星，他曾拍了一張照片，炫燿歷年米其林評鑑對他的崇拜，疊高評鑑幾與190公分高的神廚等身。神廚最著名的菜即為「季斯卡湯」，季斯卡任職法國總理永不忘懷神廚的一道湯食，神廚乾脆以其名命之，流傳至今。任何人走進神廚餐廳或到了里昂，定要點一道「季斯卡湯」。

北京至今學英文的人雖愈來愈多，終究只限年輕輩，多數北京人說不了英文，更發不了英文捲舌音。這一點我一直很納悶，北京人說京片子，滿口捲舌音；卻常發不清

「L」等英音。根據1875年7月25日發自北京的一篇紐約時報報導，北京人說英語的障礙，似乎自古皆然。一百三十年前的《紐約時報》記者，便驚奇於北京人自我發明的京式英文。當時和洋人做生意的或幫洋人辦事的、甚至幫傭的都得給自己練就一套「自成英文」，《紐時》稱其為「洋涇濱英語」。「小山」（hill）變成了「小山背風處」（hillee），「米」（rice）唸成了「虱子」（Lice），一半（half）則入境隨俗改為單腳跳（hop）。京片子說話總有尾音，英文裡的清音（h）對他們尤其古怪，《紐時》報導清國一位富商問來自舊金山珠寶商「多少錢？」，「How muchee？」可見北京人與英文的獨特距離其來有自，自古有之。

「麻婆豆腐」在京城如今有人為了招攬外國顧客，英譯為「臉上長滿雀斑的老女人做的豆腐」，你敢吃嗎？

（2007.9.14）

應該自己讀歷史

前陣子修改教科書「武昌起義」等，成了大新聞。年後新聞淡了，學生們拿著新版教科書讀起了與他們父母理解迥異的民國史。

真的花點時間閱讀1911年前後的史料，無論舊版還是新版的教科書，寫的都是片斷且刻意杜撰的歷史。真是「凡官方說法，沒一個可靠」的定律。

滿清滅亡與民國戰亂史，對當代的我們其實是非常好的教材。康有為主張「君主立憲」，但這個憲改美夢因為前提是以滿人為「君」，無法成為討好的政治主張。於是革命發生了！閱讀民國史，其實就是閱讀一部膽顫心驚的百年族群鬥爭史。少數的滿人統治多數漢人，康有為的民主沒有賣點，必須

真正的歷史不會寫在教科書裡，你連真相是什麼都不知道，更不要說超越前人的老路。

意杜撰的歷史。真是「凡官方說法，沒一個可靠」的定律。真正的歷史不會寫在教科書

花點時間閱讀一九一一年前後的史料，無論舊版還是新版的教科書，寫的都是片斷且刻

加上漢族主義的革命巧克力，才產生了巨大無比的動能。

　　知識份子在那個年代既卑微又巨大。他們必須投身權力與種族的洪流，才能更動那個貧弱且頑固的祖國。在種族的長河裡，每個讀書人都把靈魂交予掌握銀子與槍桿子的人物，最後被迫屈服於長達四十年絕望且無助的動亂循環。他們發揮巨大影響力的，總在報紙。梁啟超從跟隨老師康有為後，就沒有一天好日子過。辛亥革命後，他更與老師康有為決裂，改支持孫中山；孫下野，北洋時代他想組民主政黨，又失敗了。在民國政治史上，梁啟超連一個位置都沒有，除了他的報紙。1896年波濤的年代，黃遵憲與梁啟超在上海創辦《時務報》，後改名《時事新報》。當時交通並不方便，上海發行的報紙送到蘇北四川，得靠船。許多那個年代的知識份子，每天就等一班船，帶來梁啟超的《時事新報》；一路沿著長江、蘇北、南京到重慶。碼頭上盡是血液奔騰的中國青年知識份子，就等梁任公（梁啟超的別名）那一枝筆，告訴他們一段民主的好故事。

　　上海《蘇報》是另一個極端的例子，它是上海租界發行的報紙，等於是中國言論自由特區，說什麼都沒人管得著。《蘇報》一路鼓吹暗殺慈禧，他們最佩服的是「戊戌六君子」之一的譚嗣同。維新政變失敗後，康有為事先獲得通報先溜了，惟獨譚嗣同，慈禧派人來抓他，他不只拒

逃，還大開正門，坐得端端正正等人來抓。《蘇報》每日稱讚俄國虛無主義，呼籲暗殺掉旗人，它聲明只要四億漢人手拉手，當時的話叫「摧枯拉朽」，推翻滿人易如反掌。《蘇報》推崇章炳麟批康有為，因其與滿人外來政權勾結，直呼康為「小丑」。

孫中山的革命論，在我們的國民黨與民進黨兩版教科書中，都是不容質疑的聖論。當年他與康有為的「立憲」與「民族革命」辯論，是一段被忽略的民主論戰。康有為警告孫中山，「革命會流血」，「流血沒完沒了」，「革了滿人之命，留下的是沒有一日穩定的民國政局」。事實上辛亥武昌起「事」，一路起到了湖南，沈從文回憶鄉裡衙門換了一批人，仍是同一副模樣。把全鄉召來，宣佈「既是革命，就得死人」，至於誰該死？太難決定了！於是就在主廟廣場前把鄉民們叫來抽籤，每人抽兩張籤，兩張牌都是活的，可活；一張死一張活的，還是可活；兩牌都是死，那神明、大革命都要你死，鄉民們只好死了。於是每日廟前堆了四百多個莫名奇妙被處決的中國人頭，為革命而死。死的人數比台灣二二八還多，還荒唐。

這是辛亥革命到了民間的真實面，也是任何一版教科書都不會教你的另一面。

我們現在爭論許多政治議題，在民國史中，早已上演；歷史不斷地複製，但人很難學習。

因為真正的歷史不會寫在教科書裡，你連真相是什麼都不知道，更不要說超越前人的老路。（2007.3.2）

都市徬徨

輯 3

雲門傳奇

2008大年初五夜裡，送林懷民、蔣勳回到他們八里的家。倆人皆住淡水河畔老公寓，屋價不過五百萬台幣。幾十年來，幽靜的河畔，如此庇護著台灣僅有的文化傳奇。夜裡，蔣勳拉著我的手，站上河畔平台，遠眺關渡，我傍著河，向天祈福，願上天保佑這些為理想而活了一輩子的文化人。

初六一早，我準備「上工」了。打開久睽的電視，雲門練舞場，整個燒空。螢幕裡，林懷民穿著昨夜與他道別時相同的呢絨夾克，多添了一條紅色圍巾，眼睜睜看著老練習場及35年道具化為灰燼；他強忍哀痛告訴記者，「這是上天的磨練」。

直至雲門起了這把大火，多數人才發現我們的文化傳

自於一棟鐵皮屋；舞者身處其間，早已磨練出國際舞壇難以想像的肢體韌力。強忍哀痛說「這是上天的磨練」。直至雲門起了這把大火，才發現我們的文化傳奇竟來輩子的文化人。初六一早，打開久睽的電視，雲門練舞場，整個燒空。螢幕裡，林懷民大年初五夜裡，蔣勳拉著我的手，站上河畔平台，我向天祈福保佑這些為理想而活了一

奇竟來自於一棟沒有建號的鐵皮屋，夏熱冬且冷；舞者身
處其間，早已磨練出國際舞壇難以想像的肢體韌力。林懷
民在一本筆記型的著作《跟雲門去流浪》裡，如此記載雲
門舞者的身體；「兩小時的郊遊，是極限了。舞者的腳不
是用來走路的」。雲門參加辛特拉藝術節，好不容易一日偷
閒，林懷民帶著舞團上山頂佩南宮；一年平均121場海內
外演出，一日郊遊已是極限，而舞者的腳早不屬於自己，
它們屬於雲門，舞台上的雲門。

也直至雲門這把大火，才燒出了台灣的文化真相。我們每一年政府總預算高達一兆四千億左右，只有一億元，不到一萬四千分之一，投資於本土文化團體。這不只是國家的殘缺，而是恥辱。從大火燒了那一天開始，雲門走上另一個險坡，重建的經費在哪裡？重建的總數有多少？過去十五年來，鐵皮屋的地主未向雲門要求租金，沿著關渡橋，往八里走下去，約開車二十分鐘，進入有若工廠廢墟的小道，遠望半山坡上，一棟挑高的鐵皮屋，乃台灣的文化國寶。火燒了，人們開始向林懷民提五花八門的建議，往後電線施工應更專業，資料必須數位化……；林懷民點著頭苦笑，這些代號都是錢，雲門已領走台灣一億元藝文補助的最高額度，加上每年121場演出的票房，只勉強供給雲門的三分之二開支。其他企業捐款，隨著經濟大環境，一年比一年少。雲門的舞者每月領兩萬台幣，林懷民也願意過著比他兄弟朋友都更清苦的日子，只為了支撐一個台灣的文化夢；一切已到了極限，還能再「極限」嗎？

去年「風影」演出前，我曾至練舞場訪問林懷民。眼看著他數十年來不斷推新作，每一次觀眾激賞的謝幕背後，總是無法道盡的苦，我忍不住心疼問林老師，「累嗎？」堅強的他，突然紅了眼眶，沉默一會兒，接著答，「至少我盡力了，沒有辜負社會的期待。」

林老師，在這篇短文的結語裡，我想再給你一次公開的

掌聲。我身邊的朋友，包括我自己，已沒有多少人有資格、有勇氣，當我們離去時，說得出「我盡力了，不辜負社會的期待。」這句話了。

雲門，對我而言，已不只是文化傳奇；它是驚人的理想傳奇。願上天保佑這顆台灣最後的理想種子。（2008.2.15）

雨中草山行館

離草山行館被一把火燒了，已兩個月。雨中，石頭牆上火燒黑痕尚存，只剩雜草。一代軍閥會走，一把無名火會熄，只有草山雜草，春風吹又生。

大陸剛淪陷，這兒是蔣介石第一個落腳台灣的居住地。毛澤東統領的政府，一度曾宣傳蔣至台「落草為寇」；即指蔣住草山，在北京眼中已然為寇。此話基本上早講了五十年，如今才成真。那一夜燒了草山行館，無論人為的、自然災害的，至今石沉大海；鎂光燈從這裡移開，市府官員重建的草圖還沒個著落，原行館燒剩的石頭牆，像塊異樣的墓碑，火燒的殘跡已是最後的碑文。

為了蔣介石住草山這一帶，陽明山有一度臨街路不得蓋民房。老陽明山住戶告知，這兒為了蔣介石車行天天經過，為防暗殺，不讓任何窗戶緊鄰馬路。蔣家和日據時代的總督府，都看上了草山的靈氣。如今蔣留屍骨，屋留殘燼，過往在雨中，草山行館，真成雲煙。

「草山行館」，如今已是荒煙叢草，等待重建。（中國時報資訊中心提供）

帶，陽明山有一度臨街路不得蓋民房。台北麗緻中國大飯店，門前一塊大石牆，車進彎道，人才得下來走進飯店大廳；老陽明山住戶告知，這兒蔣介石車行天天經過，為防暗殺，不讓任何窗戶緊鄰馬路。

蔣家和日據時代的總督府，都看上了草山的靈氣。日本皇太子來此泡湯住宿一回，留下了幾個草山最好的建築物。草山行館其中之一，前山公園為其修建其中之二，教育部託管教師會館其中之三。

蔣介石肚量對同為軍頭者特別小，對文人還算慷慨。自台北蔣介石第二個落腳點士林官邸至草山行館半路上，會經過林語堂舊居。林氏舊居在中國土地上南自福建鼓浪嶼，北至北平故居都有；這兒是他自港隨國民政府來台數年後，蔣介石賜地興建的。林語堂老宅與蔣家行館最大差異，在於蔣家重景不重陳設且愛原木日式建築，林語堂位於陽明山仰德大道故居，風格簡化的蘇州式小宅；有天井有魚池，屋呈藍瓦白牆，現由東吳大學託管。可惜東吳雖名為學術性大學，除了學生們著長袍解說有點意思外，原蘇州白粉牆，求省錢全塗上了俗氣至極的油漆，門口掛個地攤式「林語堂故居」招牌，園子裡也沒植什麼好草好木。林語堂生前極好美食，林家一度成為台北最盛名家宴之一；如今故居一部分改為餐廳，也有林氏食譜，可惜幾無特色，食客稀疏。時髦的台北美食家韓良露，幾度想興

旺此地，2007年4月初春，還在這兒辦了一場別開生面的潤餅節；然而終究只是一時名氣。

相較之下火燒前的草山行館餐廳，雖遠，卻比較多人光顧。至少中天書坊主持人陳浩，不愛蔣介石，卻愛上他行館餐廳的辣椒醬。如今蔣留屍骨，屋留殘燼，過往在雨中，草山行館，真成雲煙。

若問林語堂、皇太子前山公園、蔣公草山行館三古蹟哪一個好，草山行館燒了後，我推薦還是前山公園值得一遊。日據時代前山公園比現存更美，櫻樹成千，遍植杜鵑，小橋流水步道，園林植樹各有姿態。後來也不知哪個庸俗的台北市長，再這兒先挖了一塊溜冰場，又挖了一座游泳池，旁附籃球場；甚至緊鄰公園邊批建了數十戶一棟比一棟醜的住宅。儘管破壞前山園林美景的官罪該萬死，殘剩的前山公園還是陽明山一景。每日清晨數十攤販集結於此，早起的老人們打拳推拿腳，順道吃碗八寶鹹粥。櫻花盛開時，路行於步道小池間，算是台灣史留給後代人最美的遺物。

氣象局今日又警告，豪大雨特報。草山行館，殘骸邊的雜草，活過一切歷史，祝它們雨中快樂。（2007.6.8）

山居歲月

我近來已極少在超市買青菜了。有一段時間，我身邊的朋友頻頻得了癌症，我本愛湊熱鬧，就跟著搭起了「有機」風。在超市買有機蔬菜，覺得放心些，至少多點把關機制；但自從我在竹子湖吃了第一口瓠仔後，我已愈來愈相信凡產地摘採，勝過任何品牌，比什麼都好吃又健康。

住在觀音山、陽明山已近十二年，我竟至今才發覺山居的好處。當《山居歲月》（*A Year in Provence*）書籍上市時，我望著窗前的淡水河與山景，卻只欣羨人生何時才能圓個普羅旺斯之夢？

這是人的陋習，總是將美夢想像成永不可實踐的渴望，於是人的不幸福感便愈來愈強。你誤以為你渴望的，離你很遠；其實很近。

住在觀音山、陽明山已近十二年，我竟至今才發覺山居的好處。我望著窗前的淡水河與

來愈強。你誤以為你渴望的，離你很遠；其實很近。

　　這兩年，我的工作較之前輕淡了，幾場奇遇讓我驚覺自己始終就在「山居歲月」；我一直戴著「華爾街」的眼鏡看山景，再恬靜的山水都撫慰不了焦躁的心靈。

　　我想起殷海光，49歲的他已撒手死了，死時正好與我現在同年。49歲的殷海光留下了一堆緬懷他的學生，種下自由主義的種子，幾十篇鏗鏘有力的政論文字，與一棟破舊卻帶著江南氣味的庭園宿舍。幾年前為爭取殷氏故居成為市定古蹟，我曾至殷先生家一遊。他親手打造一個縮小版的江南園林，沿著圍牆隔條流水小道，旁植柳樹，庭院挺小，約莫10坪大，中間卻有一大水池。說是荷花池，不像，太深；打聽才知此乃殷海光的露天風呂，當年他硬生生被蔣介石剝奪教職後，每天做點體力勞動。後幾年生病，身體不適，寫不了也登不了任何奮發之作，泡澡完了，精神抖擻，就往那個巷口一喊，「那個幫國民黨站崗監視的特務，滾！」

　　殷海光的人生那麼短，他卻從沒讓殘酷的命運剝奪快樂，他的「山居歲月」就在自個兒家小小的院子裡，誰也拿不走。

　　陽明山竹子湖的路道，經常可看到當地農家老人，在炎熱或大雨的清晨，蹲於路邊，希望穿梭山間的紅男綠女買一把自家種的蔬菜。塑膠帆布鋪成的現成菜攤上，有剛挖

起幾個小時的新鮮竹筍，帶著露水的地瓜葉，清脆彈指即破的瓢仔，甚至都市已少見的野菜。

有一回我買了一把珍珠菜，問起賣菜老人，方知這類野菜只長在清澈溪流邊，平時梗莖呈赤鐵色，葉形如芹菜，每年花開時，便結了一串珍珠狀乳白花，因此山中人稱之珍珠菜。葉子不用煮食，光略為撕碎，揉搓手中，就散出一股清香氣。

查之好友劉克襄《失落的蔬果》一書，才得知此菜正式名稱為「角菜」，原產大陸，可能早年跟著漢人渡海過台灣；但聽著種菜老人敘說角菜生長條件，真有點武俠小說裡上山採靈芝的味道。

漸漸我已可分辨新鮮的筍應該有多清甜，瓠瓜、菜瓜，凡原產地當日蔬果都帶著任何鮑魚或老母雞湯無法取代的甜勁。說不上來，只能勸你們，有空上山摘採買菜吧。

（2008.8.24）

陽明山使館區

陽明山加油站植物園旁有條小路，名「仁民路」，尋路到底，幾棟空曠大宅豎立；它們分別曾是美國大使館、法國大使館與南非大使館。幾年前美台關係還「麻吉」時，前AIT處長包道格曾在此宴請陳水扁吃感恩節火雞大餐。

這幾棟使館豪宅，每棟佔地皆上千坪，前南非大使館的大樹參天，看起來至少已是百年老樹，氣勢最為壯闊。空蕩的使館以圍牆與附近民家相隔，拉出了陽明山的邊緣線，也拉出了國際強權與屈辱台灣間的距離；這些曾是大國的大使們，五〇、六〇年代絡繹不絕地往來於歐亞之間；七〇年代後，他們紛紛棄絕台灣，徒留空宅供人今日弔念。

陽明山加油站植物園旁有條小路，尋路到底，幾棟空曠大宅豎立；它們分別曾是美國大使館、法國大使館與南非大使館。順著老使館區的圍牆散步，歷史總是水流殘月，台灣現在鬧政治，大概也就是這些蒼涼感，逼得島嶼上的人們瘋了吧。

美麗的花都巴黎第一個棄絕台灣，法國總是國際政治走在最前面的國家。他們受夠了冷戰的假相，無論毛澤東是什麼，毛總是已牢牢地掌握了99％的中國土地，且長達二十年了；法國人第一個承認中共代表中國。陽明山的法國使館在整個使館區中位於三角塊的凸出之處，看美麗璀璨的台北夜景應是最好的景點，視線也最寬廣，幾呈300°左右。我常想住在這裡的最後使節，當時離去時，望著台北盆地的掙扎、逐步繁華與萬家燈火，他想些什麼？台北不過是個小島中的第三世界城市？中國土地裡的彈丸之處？還是每天夜裡一處一處點亮的燈火，曾些微地感動他？要棄絕這些人不容易，每個燈火底下都是故事，都是情。

　　法國大使館空了好一段時日，附近居民們傳說某大企業已然購置。人住在高處，往往忘了低處居民的生活。夜景恐怕不僅僅是美，它是一種有意無意間的忠誠。住在山上的富有之人，篤定每日回家有一大片窗外的夜景，因為他如此信賴山腳下的居民到了時辰一定要點亮一盞燈，為自己、為家人、也為那不識的山頂居民。可惜浪漫的法國大使離台時，沒有留下任何隻字片語。

　　法國之後日本、之後美國、之後南非……，大使們一個個走了，再來的已是位階預算規模皆小一大節的經濟處長領事級人物，他們另覓居處，徒留老使館空宅。順著老使

館區的圍牆散步，歷史總是水流殘月，台灣現在鬧政治，大概也就是這些蒼涼感，逼得島嶼上的人們瘋了吧。世上沒有什麼事，會永遠淹沒在黑暗裡；山腳下的燈火每日亮起，燈底下的人們總會為他們的命運說些話，哪怕是國際強權們覺得不中聽的話。

待在外頭朝使館區望，很難耐，旁邊守衛的憲兵們守著空闊無人的使館區，也成台北一景。圍牆雖已日漸崩頹，氣勢還在。附近的居民們，常爬到寓所屋頂，眺望庭院幽涼的大宅院。一般評價，美佬宅氣勢最大，但建築也最沒有風格，難怪適合陳水扁吃火雞。台北居民們雖進不了宅子，可獲准沿牆外閒步，101放煙火時，這裡是陽明山的秘密，比白雲山莊的夜空還美。

道別使館區，走出一望路牌地址竟為「仁民路」，聽起來頗為倒錯吧。（2007.12.14）

小人物狂想曲——看楊宗緯出庭

小人物翻身總在每個時代創造傳奇。不同時代，小人物翻身的方法，極不相同。現代人靠歌唱大賽或實境節目，以前的人靠科舉。兩種成名法，風險也迥異。

楊宗緯上法庭，是現代小人物翻身下場淒慘的例子。電視節目使平凡大眾寄情在小人物楊宗緯身上。陪伴著他步步成名。等他脫離小人物的行列那一天，殲滅他的力量就反撲回來了。你本是我們，你已遠離了我們，你的紅是我們的失落，在小人物的行列裡，你脫離也背叛了我們。於是現代人專有的復仇武器踢爆力量出現，歌唱大賽變成品德大賽。星光這一條路，楊宗緯得通過禮、義、廉、恥等諸多考驗，才走得下去。

楊宗緯以為他參加的是歌唱大賽，比的是歌藝；他不知登上了電視，等於走進了現代「名人祕道」的幌子。你走進來，你已不是你。歌藝之外，你代替所有的小人物完成了成名的夢想，才是成名的原因。

小人物闖進名人堂，就得嚐嚐爆紅的痛苦滋味。（中國時報資訊中心提供）

古代人翻身，很難憑藉一招小藝。小人物在數百年前最時興翻身法，靠科舉。蘇東坡本是中國邊緣之地四川眉山人，四川乃最後歸順宋的地方。蘇東坡出身既非士族，也非讀書人家。他的爸爸與兄弟三人，固號稱宋代六人之三，但蘇老泉二十七歲才發奮學讀詩書。蘇氏父子三人在宋仁宗朝內自家鄉進京趕考，史學寫他們三人「名角登場，一掀簾滿場注目」。蘇東坡和弟弟科舉一舉成名，主考官歐陽修同時錄取了兄弟兩人。古人蘇東坡小人物翻身，也不是沒有風險。他直言王安石變法執行過當，王安石新黨得勢時，蘇東坡一次又一次被貶逐外任。貶去了河南，又貶去了江蘇、湖南、廣東，一路貶到了海南。等中原遙望起來只剩一片汪洋時，蘇東坡的日子才定下來。

我曾在中廣訪問范可欽。他的人生也曾一路被貶，曾卓越躍出，又醜聞纏身，又躍出，又被貶……。幾度輪迴，我問他怎麼看楊宗緯之事？他說成名是個詐事，一成名人災難就來。但范可欽說，楊宗緯會再起來；因為他歌聲中的感情是真的，只要這份感覺還在，楊宗緯就有他的市場。

這幾年資訊特別氾濫，什麼人都紅過；許純美、三寶、利菁……，形形色色。他們的成名都代表了某種社會情緒，我們要誇張、要恨到谷底、要自戀到無以復加。當表演已成了許多人真實人生的習性時，我們極需他們走上舞

台，替代我們已知是扮演的演員們，純然地帶領我們走入一個只求渲洩的世界。

楊宗緯以為他參加的是歌唱大賽，比的是歌藝；他不知登上了電視，等於走進了現代「名人祕道」的幌子。你走進來，你已不是你。歌藝之外，你代替所有的小人物完成了成名的夢想，才是成名的原因；當你好不容易登上「名人寶座」的那一刻，卻已是你離開原本群眾基礎之時；既有的踢爆風氣，使楊宗緯勢必得在成名的浪潮中，經歷不同階段的貶抑，直至他被這些浪潮淹溺為止。

現代歌壇能紅個兩年就不錯了，天后孫燕姿前些時刻小巨蛋票房即已清淡，觀眾對藝人快速且無情的淘汰，是台灣藝界中的人生。我期望范可欽的預言，是正確的。楊宗緯只紅了不到五週，總不成被媒體集體貶個五個月，貶如蘇東坡，直至貶到無可再貶，汪洋出現為止吧。

（2007.6.15）

爲什麼台北沒有福斯特？

2006年10月某個星期一，哈薩克總統榮耀地啟用英國建築師福斯特（Foster）所設計的金字塔歌劇院。中亞的沙漠上，映著沙塵獨有的黃金色，新式玻璃帷幕無言地看著這條古老的傳說道路。一位騎士奔騰而過，映入金字塔的玻璃帷幕，光影的錯覺使他放大了幾十倍，從不同的角度折射望之，幾百扇窗戶，個個都折映了騎士的身影。那是成吉思汗時代的騎士服裝，那是前衛的歌劇院建築，兩者交織了一段哈薩克的新夢想。從蘇聯崩解後十多年，哈薩克正在尋找他們新的國族軌跡。

福斯特為英國最著名的建築大師，他最膾炙人口的作品，就是年年得第一的香港機場以及北京首都機場。

從密特朗再立新凱旋門改造大巴黎後，愈來愈多的領導人發現公共建築的魅力。偉大風格的公共建築不只是一種集體目光的記憶，它啟發人的夢想，每天有幾十幾百萬的路人，與它擦身而過，它沒有言語，不是口號，卻員正觸動人心。

福斯特與哈薩克沒有任何淵源，他的建築公司總部設於倫敦，哈薩克總統飛越半個地球，數度恭請福斯特到他迷戀但未曾經驗的國度，為當代哈薩克人立下傳奇的建築。

從密特朗再立新凱旋門改造大巴黎後，愈來愈多的領導人發現公共建築的魅力。偉大風格的公共建築不只是一種集體目光的記憶，它啟發人的夢想，每天有幾十萬幾百萬的路人，與它擦身而過，它沒有言語，不是口號，卻真正觸動人心。

我想問的是：為什麼台北沒有福斯特？

經費不夠嗎？2005年立法院才剛給了五年五百億，投資公共建築，BOT也未嘗不是方法；腹地不足嗎？這幾年我們陸續有了小巨蛋、大巨蛋，建築水平或藍圖都乏善可陳，有若第三世界國家或大陸八〇年代的表現；法令限制嗎？自九〇年末期起，台灣已鬆綁國際參與的建築法規；採購法縱有齊頭主義的毛病，等於妨礙建築大師進場的機會，但領導人若有抱負，這些經費法令也可以經由他的政治努力一一克服。

問題可能出在我們已是一個許久沒有夢的國家；不只人民放棄了夢，在上位者也沒有公共的夢，他的夢與熱情，只有屬於自己的政治未來。

十年來，除了胡志強曾為台中市民築夢伊拉克世界級女建築師的古根漢藍圖之外，台灣不曾有一個曾得建築大獎

前日本首相小泉親自出馬，說服安藤忠雄蓋一座日本皇宮旁的藝術商城。

的世界級大師，在此留下任何公共建築作品。趙少康曾自豪，至少在他環保署長任內，還有八里等兩座焚化爐委託貝聿銘事務所設計，那已是十四年前的往事；十年來，我不明白台灣的院長、市長，為什麼都這麼忙？如此忽視全球公共建築的新浪潮？

我在北京採訪奧運鳥巢、水立方及央視等建築，他們一個一個世界大師細數，越說我心越沉。但那還是北京，一個世界級的大城。

我主持的「文茜世界周報」報導東京表參道，首爾清溪川，蘇州貝聿銘蘇州博物館……。沒有一個傳奇是從天下掉下來的，蘇州市長六顧茅廬，而且還以兒時回憶照片打動已屆退休的貝聿銘；表參道小泉首相親自出馬，說服安藤忠雄蓋一個皇宮旁的藝術式新商城；現在是哈薩克，一個GDP不到台灣十分之一的國家總統，找到了福斯特。

台北市每次市長候選人人材濟濟，幾乎全台灣最聰明的人，都擠在這個已太擁擠的城市參選，「泛藍」還大鬧「分裂說」、「團結說」。

看看哈薩克、北京、蘇州、雪梨、……，我只想聽聽他們給我一個回答，為什麼台北沒有福斯特？（2006.10.20）

我們的都市徬徨

安藤忠雄有一本著名的都市遊記，「Tadao」（安藤忠雄的都市徬徨），寫巴黎、巴賽隆納、海牙、紐約，直布羅陀……。其中巴黎寫了三回，這位日本建築大師熱愛不同時間的巴黎，古典的、狂潮的、生生流轉的。安藤這麼結尾他熱愛的巴黎風格：

「十九世紀裡，拿破崙二世與豪斯曼男爵創造了邁向二十世紀的巴黎（豪斯曼男爵，當時的巴黎市長）；……同樣的，二十一世紀的巴黎肯定會被稱為「密特朗的巴黎。」

「最重要的，一個城市的領導者必須擁有就算反對者眾多也能毫不動搖且貫徹信念的壓倒性勇氣。」

「遺憾的是，現今日本政

參道像劃時代的分水嶺，分割了日本的痛苦與歡樂。充滿創意的商城，不只帶動了買氣，也帶動了日本人的自我信心。日本可以站起來，表參道不只結束了安藤忠雄的日本徬徨，也結束了日本人長達十多年的衰退憂鬱。一棟

治家的勇氣，我似乎未嘗佩服過。」

2006年日本經濟持續復甦進入第五十一個月，代表日本信心的是安藤在東京皇宮旁的新作品「表參道」；這位以極簡寂靜風格擅長的大師，離開教堂、美術館，進入了商業領域。日本人大膽地結合建築、動畫與裝置藝術，香港蓮卡佛百貨店有觀念卻沒創意，日本卻做到了。

表參道不只結束了安藤忠雄的日本徬徨，也結束了日本人長達十多年的衰退憂鬱。一棟充滿創意的商城，不只帶動了買氣，也帶動了日本人的自我信心。日本可以站起來，表參道像劃時代的分水嶺，分割了日本的痛苦與歡樂。

攤開地圖一看，「表參道」只是偌大東京城面積的十萬分之一，在一個不算有風貌的城市中，皇宮旁的一塊小基地。這是公共建設的魅力，它豎立於城市之中，每一個經過的路人，都受到它的渲染與鼓舞。「一切都是可能的，日本會再站起來吃」。

翻開數據，日本人不輕易被打倒，也在2006年企業表現中呈現。2005年韓國三星電子打敗了日本Sony；今年不過第一季，Sony大刀闊斧改革，已創造了65％的上升成長率，營業額達1.655bn，與Sony十年來的老大沉苛，完全相反。

公共建築一直是一種奇妙的經濟學，它象徵的絕對不只

表參道豎立城市之間，每個經過的路人，都受到藝術、建築與商城結合的渲染與鼓舞。

是鋼筋水泥的表面意涵，它帶動的是一個城市人民視覺的指標，以及對未來的承諾。如果我們回顧這五年來，世界各大城市的改變，杜拜、畢爾包、北京、上海、首爾、曼谷、東京……，往往只依賴某幾個單項的城市建築，就改變了整個城市史。

城市的領導、城市的發展、城市的建築、城市的經濟，連成一段彼此生物鏈的關係，也說明了為什麼有些城市崛起，有些城市殞落。

重大建築的產生，對城市的影響往往不只是可以被計算的有形經濟產值，它是一種感情、一種意志；用經濟學來說，就是「帶動信心」，無形的經濟力量。因此首爾清溪川、曼谷Soho區、東京表參道、杜拜帆船飯店與世界島嶼，一個夢啟動了成千上萬的夢。從此城市不同了，無關建築物的路人、企業，都因一棟建築，整個不同了。

每次我到某個國家參訪，最想感受的就是詩人路寒袖的一段詩，八年前他幫陳水扁寫的競選廣告詞，「有夢最美，希望相隨」。在一個敢於變化、迎向創新的城市裡，哪怕我只是名短暫的過客，都從裡頭沾取也竊取了快樂。這是一個從個人到集體社會的常律，每個人都需要夢，並且需要把夢轉換成現實的過程。

最近我的工作夥伴從新加坡採訪回來，她開心地轉述當地的Marina計劃，一個金融加上娛樂博奕的城市填海計

劃。她眼中閃著光，口帶自信⋯⋯接著說：「新加坡2006年經濟成長率9％⋯⋯。」

短短一個星期的採訪，瘦弱的她頓時跟著新加坡有了強壯的自信，遠離台灣的憂鬱徬徨。

有多久，台北及台灣沒有重大的公共建築？我們沒有北京的庫哈斯、沒有日本的安藤、沒有畢爾包的蓋瑞⋯⋯，有的只是弊案連綿的金改與禮券，有的只是共同的城市徬徨。

安藤告別了他的徬徨，而我們尚未脫離無止盡的弊案徬徨。

等待偉大的公共建築，用它來斷定，誰才可以真正領導台灣。（2006.4.28）

恐懼創意

2008年台北市府在一塊閒置已久的市府旁土地上，鋪設了人工沙灘。週末每日平均吸引2500人，孩子們或帶著小桶子，或徒手玩沙，築一個小城堡，藏著小小人生長長遠遠的夢。

這是居住城市裡孩子們的奢侈品，他們以手觸摸土地的機會已愈來愈少；荷蘭阿姆斯特丹城裡的公園，蛙叫蟲鳴，週末父母親帶著孩子觀走濕地公園，看自然生態如何把城市裡的污水，經由沼澤、水生植物、悠游其間的蟲、蛙、魚，如魔術般轉為乾淨的水資源。這是荷蘭孩子們的幸運。在他們的養成教育中，不會只是書包、公寓與電玩。

台北市的小創意，其實並非創舉，它跟隨著巴黎、

德國而來。自2002年，每年夏天巴黎人即眼見其同性戀左派市長，夜裡運來幾十個卡車白沙，鋪設於塞納河畔。海灘度假文化自十九世紀，在法國即代表貴族的象徵。巴黎市長要工人們家庭的孩子，夏天也有一片沙灘；他的夢不只如此，人工浮於塞納河畔的游泳池，沙灘上演唱會，桌球等運動設施。2007年4月「文茜世界周報」曾大力讚揚這位已宣示出櫃的同性戀市長，他的沙灘夢。也在2007年台北市府邀請德國駐台代表赴市府演說，他建議台北應加入「人工沙灘」城市的行列。市長覺得有道理，市府研考會從去年開始規劃、溝通，今年台北市民終於有了一塊可愛的小沙灘。令我驚訝的是，它比起巴黎塞納河畔長達百公里沙灘，簡直是個小case，卻仍在議會、媒體、甚至市府內引起廣泛反對的討論。

研考會盛治仁主委每隔一段時期，就得面對人工沙灘的檢驗與錯誤報導，「給貓咪尿尿放屎的大沙堆」、「颱風來了怎麼辦？」、「台灣不是巴黎，沙灘不是我們的文明傳統」、「沙子少了兩噸，疑似進了排水溝，堵塞通道」……。林林總總的質疑，有些是善意的辯論，有些純屬虛構。一個市府小小的創意，卻需花一年的時間規劃才能實施，我們的政治體制，為何如此恐懼創意？如果面對新概念的政策，台灣給的都是抵制的聲音，墨守成規當然就是所有官僚最安全的選擇。

就在台北市鋪設人工沙灘後兩週，我赴北京採訪奧運相關議題，遇到了戴相龍，上回見他時他是天津市長，如今掌管全中國最大的社會福利退休機構，社保基金理事長。他提到自己如何決策京津高鐵，鐵道部長打電話給他，兩人相約隔幾天人民大會堂第一會議室見，談40分鐘。包括敲定京津高鐵、共同投資，合設投資公司，高架易徵地……，全於40分鐘內談完。之後天津市長與全國鐵道部長帶著方案，各自回到工作單位落實。第一次人民大會堂見面2003年，規劃投資細節及經費籌措。2004年7月完成，2005年徵地，2006年動工，2008年2月完工，開始試營運半年。2008年8月1日，正式通車，時速350公里，比台灣高鐵250公里快100公里，每日共開120班列車，每3分鐘一班，從談到完共五年。

　　京津高鐵是中國大陸第一條城際高鐵，它的巨大規模與複雜很難與北市小小人工沙灘相提並論。但如果一塊被台北市議員譏為「貓屎的沙堆」，耗時一年都仍有爭議，我們如何期望政府以高效率好好邁大步執政呢？（2008.7.15）

挪威森林要關門

的年代！這些獨特、個人風格的文人小店，一個個走入歷史；歡迎來到統銷、集體、複製全球化那種單一、統銷、集體、複製的資本主義力量，從新生南路大街，湧進溫州街小巷弄。

阿寬的店要關門了。

這個在台北溫州街代表某一個時代反叛文化的「挪威森林」咖啡店，2007年6月底告別台北。老闆阿寬以他慣有的細微聲調，苦澀地告訴記者，他不想招待網咖型的顧客，時代無情地走著，阿寬也拒絕再留戀某一個時代；世間沒有不散的筵席，「挪威森林」要關門。

2002年至2005年底，約有四年光景，我因立委職務就近城裡租了一個溫州街小屋。溫州街有條咖啡街，全盛時期共有13家Café，每天我路過各大小咖啡屋，有義大利名，有西班牙名，有日式風格，有蘇州風味，也有後現代餘緒者如「挪威森林」。從表面上看，這塊寶地是全台北最國際化，也最

多元的聚薈地。它有一點類似國外大學城旁的廣場，年輕人依據自己的文化傾向，尋找自己認同的部落。女巫書店的客人，有著別於台北行人對性別世界的想像，椰荷總招攬一批批風情萬種的女學生們，以舞姿般的步伐，走入巷弄。走進「挪威森林」，或者一位懷才不遇的劇場工作者，正坐在角落，抓著後腦杓想著他的第二幕戲；或者一名副刊編輯正和他的作者們，討論台灣如何重啟新的文化風格。青年學子們在咖啡街上走走，把台北最不商業化的殘餘文明，烙印在自己生命體驗中，等哪一天這個台大人長大，一旦有機會掌權，給世界一個不一樣的聲音。

可惜全球化那種單一、統銷、集體、複製的資本主義力量，從新生南路大街，湧進溫州街小巷弄。2006年初，我搬離溫州街，年底椰荷換成一家「399吃到飽」的下午茶店，地中海風格「聊聊天Café」改賣韓式銅鍋燒肉，阿寬和他店裡的「王爾德畫報」苦撐一年多，生意清淡，房屋漲價。這些獨特、個人風格的文人小店，一個個走入歷史；總計離2000年新資本主義全球化開啟，只有七個年頭。

「王爾德」隨著他的嘲諷風格畫報，靜躺阿寬的店，已近十年，畫報顏色泛黃，與王爾德的美學已然不合。從十九世紀末到二十世紀進入二十一世紀，從愛爾蘭、巴黎，死後隨著畫報飄洋過海落腳台北，王爾德生前生後與資本

「挪威森林」告別式。

主義纏鬥，終至被打敗。是的，某一個年代逝去了，某一個紀念那個年代的文明又逝去了，時間無情地走過，什麼也不準備留給我們。

　　阿寬的店關門不僅在溫州街不是惟一，在紐約Soho，在巴黎香榭里大道，不同個人風格的Café，正一一被全球化打敗。上個月我到巴黎，看到法國人心碎地目睹Starbucks、麥當勞、Nike、Adidas趕走法式小店，據佔整條香榭里大道。2004年，我沿著Westbroadway尋找昔日Soho，招牌上掛的，均是「Hogan」「Prada」「Chanel」……。

　　歡迎來到統銷、集體、複製，沒有個人的年代！

（2007.5.18）

讀舒國治「台北小吃」偶得

有那麼一個下午，遠自蘇州來的朋友，使我們一長桌十人坐在一塊兒品茶。這十人當中，有身價百億，有負債千萬，也有每月靠幾千元稿費過日子的人。這恐怕是一個「理想的下午」，聚集了不同角色的人，陽光從台北溫州街的老公寓灑進來，老樹蔭又給了我們一點難得的清涼。一桌子人，最快樂的就屬那一個人，他無家、無產、無債、無子、無物慾，如今難得有個女友。

他的名字叫舒國治，平日朋友圈內稱他「舒哥」，處女座，身形如湘西趕屍（不是批評，真的很像）。多數時刻月黑風高時他才出門，整個台北城已然倦怠，他卻興致勃勃，準備高談當日的即興闊論。衣服只有幾套，

引，體驗台北人的貼心。

按部就班的工作外，他真的一生無業，做到了古代文人漂泊世間的境界。尋著他的指引，舒國治是我們這一輩的奇人，他窮得比任何富人怡然自得。除了第一份年輕時還不得不

人生卻幌遊閱歷無數。他的財富以千元台幣計算，每次戶頭到了見底，只剩幾千元，才提起筆，給自己增加一些零頭小錢。

資本主義所帶來的金錢崇拜，從來與舒哥無關。活了五十歲，經歷六〇、七〇、八〇年代，到全球化，他始終沒和時代或主義打太多交道。對舒哥而言，他活在自娛娛人的世界，他的人生從來不是當代，而是已精彩又複雜地存在了無數年的世界。認得他時，他才二十，卻已長得半個小老頭模樣（仍非批評）。

自成一格的人生態度，使舒國治剛出版的《台北小吃札記》，在所有上市書籍中，那麼獨具風格，也使我忍不住未經任何人央求寫下推薦文。

其中一篇撰寫清粥小菜的文稿，從京都談起。台北一小碟一小碟的清粥小菜吃法，與京式料理，在舒國治的世界裡相遇。台北小菜原屬農家口味，就其美觀不可能與京氏餐飲充滿官味的裝飾性相比；但京氏全是漬菜，台式卻有不同的新鮮蔬菜。舒國治舉舊日風味的塔城街小粥店為例，一早蔬菜樣式便有絲瓜、瓠瓜、大黃瓜、苦瓜、空心菜、高麗菜、地瓜葉、Ａ菜、紅燒冬瓜，既實又美俗。而京都雅淨店裡啖食壽司，僅能偶一夾起醃漬蘿蔔或紅薑，舒國治以四字比擬「侷窄何似」。

舒國治是我們這一輩的奇人，他當然窮，窮得卻比任何

富人怡然自得。原職時報周刊記者，後來開始書寫金庸武俠評記，去了美國跳船，浪跡天涯七年居無定所。除了第一份年輕時還不得不按部就班的工作外，他真的一生無業，做到了古代文人漂泊世間的境界。

在他介紹的台北小吃裡，頂尖之作，寫一家台北天母的茉莉漢堡。舒國治和我一樣，生長於美軍駐紮年代ICRT電台影響的文化裡。他介紹天母茉莉漢堡，像一個流連忘返的美國老兵，這兒不是他的家，不是他的口味，卻圍繞了一切以他青春時記憶為主的符號；玻璃瓶裝的可口可樂，不加起司的煎漢堡，ICRT仍播著音樂，旋律雖已是新潮歌曲，DJ還是那個字正腔圓，逼著我們自卑牙牙模仿的美式英語。

於《小吃札記》序言裡，舒國治寫著我們既熟悉又遺忘的台北。故而……台北住得如此不舒服……小吃呈現某種台北之體貼。是的，「店主」固然也為了賺錢，然他夜裡晨裡開著熱呼呼的大鍋米粉湯，這是一種對別人的樂意招拂，別的國家別的城市，不容易。台北的人，才是它最大寶藏。

週末，買一本《台北小吃札記》讀一讀，尋著它的指引，體驗台北人的貼心。你會發現這一切的確很不容易。

（2007.6.1）

痣的語錄

2005年底我出了一本書，書名就叫《文茜語錄》。出版社把書裡部分文字，摘錄成名言，編成「小語錄」；比如「人要死有八百種理由；人不要死，只有一個理由，怕死」；還有談裴勇俊殺師奶的旋風，「一個人的出軌叫犯罪，一千個人的出軌叫現象」。每段文字前打一顆小黃星，小語錄則是書的附冊。

我的語錄封面有點九○年代時尚家Vivian Tam炒作「毛澤東圖騰」的影子，一樣紅底，一樣有個人物，一樣五顆星。仔細一看，五顆星是Hello Kitty副牌Twin的五顆星星，取代「無產階級專政」；人物是搔首弄姿的我，不是主席毛澤東。惟一共同之處，兩人

髮、塗紅唇，在一種結合美豔與圖畫的化妝術下，痣是最後完美的句點。

痣在西方卻有個完全不同的形象意涵。拿破崙時代法國男人女人臉上塗白粉、戴怪假以前模倣秀學我，有時戴帽，有時紅頭髮，惟一不變的就是嘴角下方那顆痣。

嘴角下都有著一顆痣。

　　以前模倣秀學我，有時戴帽，有時紅頭髮，惟一不變的就是嘴角下方那顆痣。在兩岸阻絕的時刻，我的痣意象很清楚，算命師不只一次告訴我的長輩，「這女孩一輩子有吃福」。但兩岸的新環境來了，中國大陸的「概念」一點一滴地滲入我們平日的日常生活，逐漸愈來愈多人告訴我，「你有一顆與毛主席一樣的痣」。

　　痣在中國管命相，長在權力人物臉上或身上，代表權位；長在模特兒身上，則是一種破相與瑕疵；傳聞林志玲出道時，臉上也有顆肉痣，為求美人的完美形象，伸展台上的林志玲用現代雷射科技，把痣給去掉了。

　　痣在西方卻有個完全不同的形象意涵。拿破崙時代法國男人女人臉上塗白粉、戴怪假髮、塗紅唇，在一種結合美豔與圖畫的化妝術下，痣是最後完美的句點。歐洲某位文化史學家佐雨克先生曾考證，當年痣在歐洲，全盛時期最高記錄，曾經有個伯爵，臉上一口氣點了十七顆大小深淺不同的痣。痣的美學在拿破崙的歲月，有點像當代年輕人於舌尖、鼻孔、耳垂、乳頭、肚臍穿孔穿鑽，是一種最高的時髦。於是，有位十九世紀貴婦為了出門前點痣，點了七個小時。

　　歐洲人點痣，不喜歡點於唇下或額上，他們時興將那個我們俗稱「蒼蠅屎」的東西擺在臉頰；女人點上了痣，代

表「情慾」的追求。考證女人化妝史，先是有了點痣之術，才有了點唇之美。歐洲貴婦們一步一步地在臉上不同的部位，一一上色，這是新型女體的誘惑演化。

瑪麗蓮夢露臉上也有一顆痣，這幫助她完美地建構性感女神的恆久地位。以前我在美國認得一位挪威籍的冰雪美女，她想突破北歐人的冷漠形象，常對著鏡子呼喊，「給我一顆痣！」好似痣一點上了，熱情男子就會像仙女棒般，立即出現。

我在北京第一次聽到有人談我的痣，某位文史學家一見我即呼，「哇！陳小姐，不得了，妳有一顆毛主席的痣。」他說話的表情，似乎接下來自己該激動地喊「毛主席再世！毛主席萬歲！」我沒有給他的民族主義太多時間，煞風景地脫口「我和毛主席的痣功能不同；他的管權，我的管吃。」「我比他大，也比他好命。」

這當然是吹牛，但也是智慧之語。一個領袖如毛主席，權貫天下，至今北京到處是他的玉照牌樓，但他一生能吃多少？能盡情地吃嗎？能撇開意識框架吃遍法國菜、鴨肝、松露……或上等Toro嗎？他創造了一種粗茶淡飯的偉大形象，無論實際吃的好不好，總不能恣意地學我考證吃、學吃、天下吃、並且大方談吃吧？

外交史上記載鄧小平四川人愛吃擔擔麵，有家「四川飯店」的北京老餐館，就是鄧小平宴客的地方。現在「四川

飯店」部分老四合院建築改批給「中國會」（China Club）當會館，我到北京採訪時住在那兒，早晨吃的是北京善手的捲餅，外加香港師傅一手調教的夏威夷咖啡。我敢篤定同樣的四川飯店，我吃得比鄧小平好。

我的痣如果按照皮膚科的醫學術語，只是一種可能誘發危險病變的良性皮膚腫瘤。可是有人因此膜拜我像毛主席，有算命的預言我一輩子吃福不斷；醫事科學的意見，在這些想像中全成了拘謹的廢話。誰理呢？

按照考據耶穌有痣、亞歷山大帝有痣、凱薩琳女皇有痣、伊莉莎白一世有痣、康熙有痣。

今夜聖誕，十九世紀，一百零五年前，捷克戰役讓法國成了歐洲盟主；拿破崙於巴黎開了一場耶誕盛宴，當晚每個客人都點了痣。

祝各位聖誕平安；有痣者更快樂。（2005.12.23）

百家爭鳴

台灣有一部分人引以為樂，有一部分人引以為恥的「政論Call in 節目」，最近成了大陸觀光客最津津樂道的來台盛事。白天參觀「蔣匪」尚未入土的陵寢，晚上觀賞令人靈魂出竅般的瘋狂政論。這是陸客來台觀光，精神最亢奮的一頁。

我們只從大陸言論不夠開放，回答陸客的Call in 崇拜，恐怕欠缺歷史的史觀。自1994年「2100全民開講」開播後，台灣開啟的Call in風潮，望似承繼美國脫口秀Larry King風格，因為主持人李濤穿了一身和Larry King一樣的吊帶褲；但實際上它是中國語言文化中「百家爭鳴」，千年的奇蹟。

來賓哪怕說話內容鬼打

架，激動時刻兩眼凸如青蛙，下完節目，一切歸於平常，各自嘻嘻哈哈平安回家。這種胡言亂語，而且是公然胡言亂語的自由，是中國人幾千年爭不到的。近代史中大鳴大放，下場勞改；五四風潮後，聞一多寫時事文章、申報發行人史量才同情左派，都慘遭國民黨特務暗殺。

中國上一次安全無虞，說了話可以平安回家的年代，得溯及春秋戰國時期，兩千年前。戰國時期言論自由最發達的國家首屬齊國，其風情有若古老雅典，可惜當年的稷下學宮及史料都給秦始皇燒了，沒能保存下來。那時「百家爭鳴」，不同學派之間成百上千人辯論，就在稷下學宮裡舉行。稷下學宮存在了一百多年，齊宣王時最為鼎盛。往往每日均有公開的演講與激烈的學術辯論，當年沒什麼史料留下來，許多故事只能留待後人傳說演繹。根據傳說，辯論分兩種形式，一種即眾人針對同一個議題發表意見，想起來可能就像今日美國心靈大師推廣的World Café；另一種則面對面抨擊國君施政方針及弊端，這聽來比較像今日Call in始祖。

齊國靠海，一座泰山隔著山南山北，北齊南魯。魯國看起來比較適合模範生居住，民風古樸守成，男女授受不親，就是走在大街上，男也得走右，女走左，各走各的。齊國則男女可以自由談戀愛，不認得的男女可同桌喝酒吃飯，或共唱當年雅樂。齊國公王心胸較寬大，齊桓工重用

曾想射殺他的管仲當宰相，開啟齊國強盛之路。魯國人孟子也曾向齊宣王推銷自己的哲學理論，受齊王重用，得意時，出門數輛車，隨從數百名；陣仗與今日馬英九差不多。

春秋戰國「百家爭鳴」年代，與今日Call in節目，有幾個重大區別。首先開講的人為各學術思想流派之士，沒有外行、只靠表演或直覺就可以任意發言的名嘴。當年的「名嘴」得有個訓練過程，稷下學宮年少尚未成名者，為第一階，稱學士；有名氣且輩份高，第二階，叫先生；名氣特別大，地位崇高者，封老師。

齊國國力強盛，吸引春秋各國才華洋溢的老師、先生們跋山涉水，穿越泰山，來到了山東的海邊；在齊王統治下的山東臨淄，聚集了全中國最好的金頭腦，養士之風七雄中最盛。齊國人對今日國際戰略最重要的影響，即為《孫子兵法》；齊國人孫武帶著此兵法投靠南方的吳國，以三萬人打敗了楚國二十萬人。齊王重老師們的意見，那可不只是馬英九抄筆記寫完就丟的表面功夫，他愛聆聽不同意見，甚至到了愈危言聳聽愈好。

大陸觀光客看了台灣的Call in節目，欣羨不已，因為這種「百家爭鳴」，在中國已失傳了兩千年。2008年，一個小螢幕，儘管上座的未必都是「先生們」，程度也良莠不齊，但你來我往，舌槍唇劍，加上西式現代Call in，一切

又似當年公審，又不用斬頭流血。觀眾來賓等節目end-ing，關掉遙控器，平安睡去。

從歷史冥想裡看台灣Call in現象，還真有趣。

（2008.7.18）

紀念2006・紅花雨

輯 *4*

相逢紅花雨的道路上

10月中旬，天氣懊熱，和往常的秋風很不一樣。除了山中櫻花葉已落得差不多之外，無法驚覺2006，我們過得這麼快。

台灣該不該耗盡憲政及群眾手段，爭取一個「陳水扁下台」的正義？還是與那個貪瀆集團共同苟且偷生，人們多花心血關注其他議題？這兩個命題一直在我內心中翻轉。

攤開人類的社會運動史，有的時候它使用了暴力，卻仍是偉大的革命（如法國大革命、切‧格瓦拉游擊戰略）；有的時候，它改變了當代人類的觀念，雖然它所要求的政治目標，並未建立（如社會主義，德國綠黨運動）；有的時候它只是史學家專注的歷史事件（如太平

爭辯，就當成如「相逢有樂町」般，各自擁抱自己所要的，各走各的人生吧！

但每一個偉大的運動，都有著不願向命運低頭認命的領導人物。街上相遇，不用再讀過歷史的人都知道歷史的雙面現象，每一個成功的革命，都是特定歷史條件下的產物……

天國，十九世紀美國農民政黨運動）。到底從2006年9月9日起，我們所經歷的「紅花雨」，是一場什麼樣的運動？或許需要更長的時間沉澱，我們才能深深體會。

現在所談的驅離、踢腳印、鬧慶典、是否藍綠對決⋯⋯這些狀似批判型態的討論，都太枝節、情緒、甚至帶了太重的權謀與勢利。

清華大學陳傳興教授寫了一本書，《道德不能罷免》；中研院錢永祥研究員在2006年7月間提出評論，「或許我們已太久只討論策略，而忽略原則性的道德命題；」這些屬於長期的價值，才是我們應反覆思考與爭辯的對象。

從2006年6月至10月，罷免陳水扁一直沒有成功，這是誰的失敗？

它恐怕不是施明德、百萬天下圍攻民眾、或在野的失敗；而是司法制度、民進黨的道德反省、與陳水扁教養的失敗。

這些司法人員、民進黨政治人物與陳水扁，都會在歷史的評價中，得到極大的道德譴責。撇開最狹隘的「陳水扁下台」不談，多少人，包括外賓，打從內心裡敬佩陳水扁與民進黨？

從改變與凝聚公民意識而言，反貪腐紅衫軍早已紀錄一場非常美麗的「紅花雨」場景，牢牢的鑲鑄於台灣史中，留給我們的下一代最難忘的片段。從這個角度而言，紅衫

軍在新社會運動的層次上，早已是場成功的公民運動。

施明德的問題是陳瑞仁偵結後，他要將群眾的力量帶向何方？還要持續多久？廿世紀史上，還沒有一個「愛與和平」的群眾力量，曾經改變過政權；只有國際介入或政權（Regime）本身的分裂與矛盾，足以崩垮，叫陳水扁下台。我們不要軍事政變，我們反對絕望式的暴力街頭行動，我們也等不到民進黨政治人物的良心反省。

於是一個怪異的現象跑來了，紅衫軍成了某些綠色人物檢討的對象；他們不夠「公民運動」，他們不該與藍軍政治人物結合。多麼高明的道德觀，多麼有勇氣的「良心」評論。施明德不找李永萍幫忙，林濁水、李文忠等人就會立即熱情加入紅衫軍嗎？

其實施明德面對的問題是他訂出的目標，不是他的手段可以完成的。拖著肝癌的身體，他耗著自己的命，群眾們也耗著自己的健康青春，值不值得？

幾經思考，我確實沒有答案。讀過歷史的人都知道歷史的雙面現象，每一個成功的革命，都是特定歷史條件下的產物；但每一個偉大的運動，都有著不願向命運低頭認命的領導人物。

於是就這麼辦吧！不認命的當紅花雨的小水滴，認命的過你如常的生活，而願意與貪瀆集團共生共存的人，繼續你自圓其說的囈語。

街上相遇，不用再爭辯，就當成如「相逢有樂町」般，各自擁抱自己所要的，各走各的人生吧！（2006.10.13）

施明德的肝癌告白

無論政治信仰或主張為何，人性很重要。

法西斯主義所以不容於人類社會，因為它是泯滅人性的主張。紐倫堡大審審判長所以判決納粹軍頭們絞刑，「因為喪失人性的法律，不是法律。」

施明德罹患肝癌，2006年8月他告知我時，泛紅著眼眶。當天他的女兒，可能也是過去十年來他照顧最多的人之一，開記者會隨著扁政府影射他父親「私吞」了陳水扁的200萬「醫藥補助」費。他不怪女兒，畢竟她們有著太不幸的童年。但想到已失去的女兒，再想到自己另外兩個年幼的小女兒，施明德紅著眼眶告訴我，「余紀忠肝癌後，仍活了二十年；我應該還有著很長的歲

異過；但是有一種超越政治利害的情誼，使我們深深相信對方。

我望著他的臉，這幾年我與施主席情同親人。爭執過，對時局判斷不同過，政治選擇歧異過；但是有一種超越政治利害的情誼，使我們深深相信對方。

施明德紅著眼眶告訴我，「余紀忠肝癌後，仍活了二十年；我應該還有著很長的歲月。」

月。」

　我望著他的臉，這幾年我與施主席情同親人。爭執過，對時局判斷不同過，政治選擇歧異過；但是有一種超越政治利害的情誼，使我們深深相信對方。他得了肝癌？我沒有讓自己的遺憾寫在臉上；當天早上我剛幫他開了一張200萬支票給陳水扁，於是不改本性打趣地和他說笑，「放心，你會活得很長，我還是你的大債主呢，等你還錢！」

　他告知我，只因他的主治醫師接到中時、自由兩報記者，詢問他的病情；而且來源都是某府內往來的高層。施明德不希望我看到新聞曝光那一天嚇一跳，事先告知。

　他判斷雖然肝癌只是初期，但民進黨會用惡劣的手段藉此影射他無法靜坐到底，倒扁運動不會成功。我天真地（這六年來，我每次對扁天真的善良判斷，證明都是錯的！）告訴他，民眾若知道他的病情，會更疼惜也感謝他，既使罹患肝癌，仍堅持用餘生幫社會再做一次有意義的歷史大事；民進黨大概不敢如此惡毒。

　結果我錯了，他也錯了。民進黨比他想像地還糟、還惡劣、還惡毒。某彰化江姓立委直指他是「垂死政客」、正做「垂死掙扎」。政客為一時政治利害與老友翻臉是常事，但拿著他的病情如此訕笑苛薄；民進黨為一時的權力，到底準備讓自己付出多少人性的代價？

前陣子陳水扁感慨「不知吳淑珍還能撐多久？」並傳話「吳淑珍只剩26公斤」；當時有沒有任何一個倒扁的人譏笑「吳淑珍只是一個垂死的貪污犯？」陳水扁一家只是在做「垂死的掙扎」？全台灣有60％民眾要扁下台，80％民眾反對他；為什麼這麼多反對他的人，對某些疾病等事仍心存良善，結果民進黨只佔人口不到18％的黨，卻有眾多姓林、姓王、姓江……的政治人物如此泯滅人性？

　　這已不是什麼藍與綠、貪腐與反貪腐的戰事，而是要人性與泯滅人性的比賽。當施明德罹患肝癌，民進黨耳聞沒有關懷，只有羞辱時；這個政黨已沒有在台灣政治太多存在的價值。（2006.9.1）

李伯伯，到「戶外」走一走

2006年9月15日台北天下著雨。

簡錫堦站在台上，一個貨櫃拼裝的簡陋車上，教民眾如何避免衝突。「四個人手拉在一起，別和刻意挑釁者爭論，沉默且堅定地把他擠出遊行行列。」

施明德把它定名為圍城，聽起來像葡萄牙小說家或塞拉佛耶曾歷經的景象，但是在震撼的名詞之外，簡錫堦等人就地教育民眾的過程，已使這場運動超越了倒扁的意涵。

我一直想給李家同寫一封信，告訴他社會觀察者認識「變革」的重要性，教育不只是課本，不只是幾本李伯伯推薦的書；最動人的教育課本往往是當代發生的大事。

外教學，會發現這裡有許多書本上學不到的東西，而且學得還真多。

如果李家同願意到廣場走一走，給自己一場戶洞，所有的事物繞入其間全湮消雲散了。

這幾年世界全在轉，全在改變，台灣卻像一個僵硬的僵屍，島嶼底層似乎住了一個大黑

這場倒扁運動表面上好像只是倒扁，但它正如五四，表面上好似反袁世凱投降日本，其實底層醞釀著新社會力量的重整。李家同與我喜愛的好朋友龍應台不明瞭的是，所有社會及政治革命固然往往都是某一個意外事件或單一圖騰引發；但它可以波瀾壯闊，可以持續，往往底層醞釀一場結構性的重大變化。

台灣社會運動黃金時期始於1987年，結束於1991年。90年發生520農運暴動，從此農運結束；91年遠東化纖悲壯罷工失敗，從此工運告一段落；後勁反五輕在郝柏村蘿蔔與棒棍兩手策略下，全面瓦解，從此環保沒了運動。這些看起來彼此不關聯又彼此牽動的人民力量，為何崛起？為何殞落？從來不是台灣知識份子有興趣回答的問題。

於是茫茫然的，我們又到了後2004街頭時代。抗爭人數超過以往；這次與上回327的凱道抗爭，聚集的人數，都超越以往十年社會運動人數的總和。抗爭領導人變老了，他們沒有了年輕時的意氣風發，卻有著歷經磨練的沉著與智慧。

當簡錫堦站在台上告訴民眾，如何以和平方式「武裝」自己，跨越鐵絲網；廣告才子孫大偉教大伙「戶外教學」；范可欽以最簡單的顏色語言，教民眾表達自己的意見；「倒扁」只是一個框架，正如「反越戰」、「反就業

法」、「Green Peace」等運動，它勢必影響人們腦海裡的
某些想法，讓人民重新定位自己，定位那個「不誠實有權
力的貪污者」與自己的關係。

　　從1991年社會運動結束後，台灣的政治圖騰只在幾個
符號中搖擺；族群、政黨、政治名星、藍與綠。馬侯曾經
這麼敘述著他的傀儡戲理論，「那些不斷變換服裝的傀
儡，全來自同一個工廠」。在省籍的基本架構之上，我們建
立了自己對政治理想的想像，政治偶像的選擇，與藍綠的
截然分邊，我們都只是傀儡。

　　於是這幾年世界全在轉，全在改變，台灣卻像一個僵硬

的僵屍，島嶼底層似乎住了一個大黑洞，所有的事物繞入其間全湮消雲散了。

　　施明德發起這場運動，他的戰略是要跨出藍綠，因為「只有綠軍才能讓阿扁倒」，「一旦抹藍就完了」。於是他走了一條「烏合路線」，狀況還真多，但它卻意外打開了磐固台灣底層結構性僵局，人民不再只是政黨或族群同一工廠的產物，他們百花齊放，不再視馬英九或某個人為神，他們自己就是領導者，就是理論宣揚者。

　　如果李家同願意到廣場走一走，給自己一場戶外教學，他會發現這裡有許多書本上學不到的東西，而且學得還真多。（2006-9.15）

等待人民的起訴書

一個拙於政治的文人，隱遁的古城。

了我的絕望，看著一切，台北發生的一切，我心裡充滿了怒火。於是我決定逃到蘇州，

離開台北前，我像一個「憤青」，雖然我的年齡已足以當一個憤青的媽，但年齡挽救不

我逃掉了近一個禮拜，逃到蘇州。

離開台北前，我像一個「憤青」，雖然我的年齡已足以當一個憤青的媽，但年齡挽救不了我的絕望，看著一切，台北發生的一切，我心裡充滿了怒火。於是我決定逃到蘇州，一個拙於政治的文人，隱遁的古城。

明末清初，一批文人眼看新的朝代崛起，舊的帝制整個亡了。他們築園林，在秋季賞菊啖蟹，喝著碧螺春，那太湖如茫茫大海的泛光，讓他們忘了江北發生的大事。又瘋又笑，他們癲狂地活了一輩子，留下可愛的蝦、鳥、獼猴潑墨畫，留下了古琴「狂放曲」，留下了牡丹亭。

逃是一種什麼態度？英文

「Escape」，代表遠離，也意謂著拒絕或沉思。我用著「逃」字，多半人不會贊同這種人生態度，但坐在蘇州現代文人葉放的家裡，我說話的聲音，和出發時的我，有明顯的改變。台灣正掙扎於邱義仁、陳瑞仁、楊甦棣的語言困境裡，那些「下台」、「心證」、「至扁任期結束」的字眼裡，人們字字推敲，像痛苦的靈魂飄忽其間，或悲傷、或猜忌、或不滿。而蘇州的現代匠人，推敲的是不同太湖石的堆砌與結構，人、荷、樹、漁、竄遊其間，舊夢碎了，再堆一個新夢。

在朋友蟹宴期間，一位打扮與性情都極為有趣的作家，講了江南螃蟹的笑話；他說中國人吃蟹一直是一公一母，農曆九月吃母，十月才食公。唯獨1976那一年，人們改吃三公一母；因為當年「四人幫」垮台，那個毛婆江青，叫中國人改了吃蟹法子。

眾人哈哈大笑，笑地荷池裡的小錦鯉都跳出水面。許多國事，你活在期間，盡一份公民責任，大局不可為，避走一段期間，沉澱下來。人生的某些價值等在那兒，歷史的審判，民主的任期制，這些當代我們仍擁有的工具，不要輕忽它的力量。

回到台北，報紙刊登紅衫軍下跪廣場的絕望照片，我看到他們，還等在那裡，貪腐者的毅力，贏得了一時，但又怎麼可能比得過千古世人對是非的信仰？

把眼界放長，把爭是非的時間放遠；我相信人民會寫下屬於自己的起訴書。（2006.10.17）

這個非度過不可的年

2006年底我決定到台北小巨蛋聽卡列拉斯演唱，度跨年。

年輕的孩子與年長的成人度跨年，心情迥異。……7、6、5、4、3、2、1，倒數計時，孩子們急著長大，不知年歲的壓力，像一場狂歡性的遊戲，數得高興；年歲一把的人，像我，過了年差一歲就半百，倒數54321，像與情人不想分離又不得不分離的初戀少女，不勝嘆息。不過回想起這2006年，不是急著倒數，反是急著回盼；怎麼就這麼一年，人生匆匆，又過去了。

2006年回顧起來，一月中東夏隆中風哈瑪斯勝選；三月伊拉克政體開始進入瓦解，宗教內戰；五月三峽大

壩峻工，百萬人遷移，千百年古蹟如白帝廟永沉水底；九月台北百萬紅衫軍上街頭，陳水扁仍堅拒下台；十月北韓核子試射；十二月紐約時報預測布希還要再增兵伊拉克……世界好似沒有一個安靜的地方；人的、自然的、高度工業化帶來災害的……撲向我們每一個人，這2006年，那裡去找一個平安的角落？

我從來沒有一次這麼急於揮別歲月。從小我是個不想長大的小孩，現下老了更加不願意承認自己年歲已大；但這2006年，我們過得太消耗、太停滯；如果一場跨年儀式，代表勇於與過去切割，並給自己做個新選擇，那麼這場跨年演唱會來得太好了。

我注意到書局裡凡蔣勳談美的書籍，都賣得特好。現實生活中，我們已累積太多的醜陋與荒謬，所有不可能的事都在2006發生了！這2006年的年底，一本蔣勳談大地美術之美的書籍，入夜前伴著你我，人生與大地的沉靜之美，在非現實的夢境裡，終於在我們腦海裡的某個角落裡沉澱下來。

這2006年一年，我常在夢裡哭著醒來；現實的世界把我訓練成不輕易被激怒、崩潰、流淚的人，理性盤據在我

的腦海裡；是的，我像一個提早衰老的先知者，預知週遭或未來即將發生的一切，我的聲音安靜地分析悲劇：「伊拉克不容易善了」、「拉丁美洲全面向左轉」、「高油價創造了反西方的新興集團」。我也安靜地預測鬧劇，「吳淑珍不會出庭」、「陳水扁會要求立委釋憲」、「法官會再寫判決書說台開案檢察官放水」、「國家上級出賣公訴檢察官、司法需人民力挺」……。在悲與鬧之間，我嘗試隱藏自己對「人性」的失落感，「高爾預言我們只剩十年挽救地球大自然的浩劫」。

於是，在跨年的前夕我決定與卡列拉斯同歡唱。音樂及某些人類曾留下來的美好事物，是我們在2006年惟一擁有的快樂。在西班牙歌王的歌聲中，願我們的2007與他的音符一同跳躍。

有的時候人面對不得不來的挫折人生，會發展出奇特的人生觀。「法國美好年代」的出現，介於一次與二次大戰之間；「上海三○年代」，同一時期的中國正在內戰，而蘆溝橋事變已然發生。

就這麼想吧，2006年這不算太壞且一點也不快樂的年份，總算過去了。跨年裡，人人許個通俗的好願，幫自己在新年份做個新選擇，願2007的你既快樂又有希望。

（2006.12.29）

回憶一九六三年，828大遊行

台北2008年11月深夜，中山北路滿是濺血。從日出至深夜；誰該為暴力負責？這不是辯論，也不是蔡前主委立院答詢，而是一個群眾運動領導者必須擁有的深層價值。我想說一則金恩博士的故事，他相信和平，最終竟為和平路線而身亡。但他的夢想，使他偉大，使美國黑人最終取得勝利。

1963年8月28日，美國民權運動史上最偉大的日子。甘迺迪總統原本擔心示威免不了發生街頭暴力，結果金恩等領導人致力勸服民眾，非暴力抵抗才是民權運動最好的武器。他與蔡英文一樣，向甘迺迪總統保證，伙伴們會監督秩序，防止暴力。當日原本預估人數僅有二萬五千人，結果示威行動

而坐……」

有一天，在喬治亞州的紅山頂上，本是黑奴的兒子與黑奴主人的兒子能夠像兄弟般比鄰道」。擱下他原本預定的講稿，開啟人類史上最偉大的演說──「……我有一個夢想，金恩含淚訴說黑人的痛楚，但他更提醒群眾們，「絕不可利用仇恨來滿足自由的解決之

展開時，已達十萬人，抵達林肯紀念像時已湧入廿五萬人。黑人弟兄們以尊敬而濃厚的感情向前邁進，他們沒有忘記自己的先祖一百年前只是個奴隸，他們高唱黑人靈歌，為所有受難的過去與夢想的未來歌唱。其中有沾滿污泥的農夫、有進不了大學的優秀黑人學生、有工人、有當不上主角的黑人電影明星，也有充滿良知的白人。這是美國史上第一場大規模政治集會；太陽炎熱地照著每一個經過豔陽底下的子民，抵達終點時，黑人女歌手卡蜜拉‧威廉斯（Camilla Williams）唱起了美國國歌，全場撼動，黑人們聲音顫抖共同合唱。美國媒體捕捉其時一旁戒備的警方，竟不禁動情也流下了眼淚。

　　下午三點左右，金恩上台，他告訴底下聆聽的群眾，一百年前林肯的重大宣示是黑奴「一道希望之光」，但黑人尚未取得自由。在美國廣大且物質豐裕的土地上，黑人因種族隔離受到限制，因貧窮而孤立。美國憲法中賦予公民的自由幸福人權，從未及於這個國家的黑人民族。與蔡英文主席不同，金恩既無洋洋得意宣告「初步勝利」，更無事後謊稱「衝突乃黑影幢幢」。站在一個只屬於夢想的舞台，金恩含淚訴說黑人的痛楚，但他更提醒群眾們，「絕不可利用仇恨來滿足自由的解決之道」。接著金恩擱下他原本預定的講稿，開啟人類史上最偉大的演說，「……我有一個夢想，有一天，在喬治亞州的紅山頂上，本是黑奴的兒子與

黑奴主人的兒子能夠像兄弟般比鄰而坐……」「我有一個夢想，希望有朝一日，我的四個孩子能活在一個不以膚色而以品格來評斷他們的國家……」。

聆聽的群眾，廿五萬人，在最終金恩高喊「終於自由了！終於自由了！」時，再也忍不住心頭的激動，放聲大哭。紐約時報第二天以頭版「二十萬人和平華盛頓民權大遊行」（200,000 March For Civil Rights in Orderly Washington Rally）報導民權運動的重大勝利，甘迺迪立即宣示政府將通過「民權法案」。

金恩發表這場演說時，年僅三十四歲，比蔡英文小了廿歲。他誕生在亞特蘭大一個幫傭家庭，與蔡英文父親大地主數億家世完全不同。在全美國種族歧視最嚴重的地區長大，三十四歲的他早已因民權運動數度入獄。黑人作家James Baldwin聽完金恩演說後，寫下了兩個預言。「有一刻，我們似乎就站在高處，預見我們的將來。也許我們能使這個王國實現；也許這個令人喜愛的國度不會永遠只在痛苦的夢中出現；也許這個痛苦不免一直持續下去。」

金恩的夢想演說後，不到三個月，甘迺迪因提出民權法案遭暗殺。四年八個月後，一聲平板而清脆的來福槍響起，子彈撕裂穿透金恩的臉，金恩倒下了。時間1968年4月4日。

葬禮上，金恩的靈柩以騾子拖行，紀念他一生戮力的窮

苦運動，而他的墳墓則刻著：「終於自由了，終於自由了，感謝全能的主，我終於自由了。」四十年後，美國黑人不只終於自由，歐巴馬不可思議地當選美國總統。金恩無緣親睹此幕；但他的信仰，卻從未消逝。

　一個國家，因一個人的偉大而偉大；一個運動，因一個人的懦弱而懦弱。這句話送給「帶領」抗爭的蔡英文主席；不要問一場運動能為妳的權力做什麼，問妳的權力能為運動做什麼。（2008.11.7）

人生轉折

談人生轉折，沒有比邱義仁更令我感慨的故事。

邱義仁曾是一名票據犯的兒子，年幼時期他隨著父親躲債，四處搬家。這在他身上歷練出成長後驚人的冷靜，也歷練了他嘻皮笑臉打發人生低潮的態度。在表面強大的冷靜下，他身體裡隱藏著難以道人的負面性格，不安且猜忌；認得邱義仁的人，總不禁被他幽默與泰然自若的性格吸引；但和他有政治利害衝突的人，往往感受到的是他陰沉面下的無情與狠毒。

出任扁政權不同總舵期間，他主張「割喉割到斷」、「烽火外交」、……，他的鬥爭毫不留情，也不會給對手留下任何餘地。從黨內派系角逐到黨與黨鬥爭，

苦；回到當年約翰藍儂的信徒時光。人生永遠會有下一個轉折。

生，也迷惘了他的理想。經此文，給邱義仁遙遠的祝福，祝他早日走出權力帶給他的痛

邱義仁如果人生犯了最大的錯，是他太迷信權力，權力使一個熱血青年迷失了他的人

人生轉折　169

他能奪權就毫不遲疑奪權。1986年民進黨剛成立當日928，謝長廷還為親手促成組黨成功雀躍不已，當夜邱義仁已召開新潮流派系會議，決定與江鵬堅聯手奪取黨權。邱義仁認識他的妻子江美玲，是他擔任張俊宏省議員助理時期，邱因此曾協助張俊宏的前妻許榮淑辦深耕雜誌對抗康寧祥；張俊宏坐牢八年後出獄，邱已成黨內一方之霸，張俊宏則不解的面對昔日助理對他無情的路線批鬥。

追隨陳水扁，使這位曾窮困潦倒的書生達到了權力最高峰；八年後，也因此跌到了人生的最谷底。他的家庭已然破碎，就在權力無盡的追逐中，他忘了關懷永遠默默付出的妻子。邱義仁的妻子是一位了不起的女性，她與邱義仁結婚，除了付出只有付出。這幾年因著邱在政治上表現令人側目，國民黨經常有人拿江美玲的置產做文章。知悉江的人，都會為其感覺不捨與不平。邱江二人，在極年輕時，分享共同的民主政治理想，但一個家不能兩個人都沒有收入。江美玲開始進入美商從廣告調查部門，一路跳升行銷協理，最終出任舒潔總經理。這一點一滴，都是她咬著牙苦出來拼出來的。她七個月懷孕流產，躺在長庚等了十幾個小時丈夫才出現；她為了客戶簡報拼業績得了職業病膀胱炎，丈夫沒有安慰她還與她半開玩笑。她是那麼地深愛她的丈夫，尊敬她丈夫的政治理想。她把丈夫交給了社會，自己一步一步地撐起一個家，養大小孩。

這幾天媒體守候的邱義仁汐止家，是邱江兩人第一個像樣的家，他們兩人曾在寂靜的汐止金龍湖旁，築起人生的第一個夢。那時邱義仁還陪江美玲逛逛街，買點民俗小古董，養個小金魚，收集鋼筆。直至汐止大量開發，直至邱義仁的政治生涯權力大漲；他們的家，逐漸變調。

我從22歲起，算熟識邱義仁吧。我們個性甚不合，但也前前後後工作往來了十六年之久，他的周遭朋友我都相當熟識。看著他把人生五十八年玩到如今的地步，即使十年前我們已絕交不往來，甚至我離開民進黨，主要對著我以拜耳公投案發動鬥爭的也是邱義仁；我仍為了他今天的「下場」覺得不值、不捨。至今我解釋不出邱義仁為何前前後後說與做了那麼多矛盾之事，但我仍相信邱義仁不是為了錢，他不是貪錢之人。權力使邱義仁墮落，但金錢不會使他墮落。他工作不拘小節，甚至到了非常不幹練的地步；這與他操作權力時的精明，判若兩人。我想即使今天，他連在國外如何開個帳戶，都不會；恐怕存摺也和我差不多，只是假手秘書。

邱義仁與馬英九同年，同進台大，一個留長髮嚮往六〇年代自由主義聆聽殷海光的熱血青年；一個循規蹈矩每天跑操場背英文單字努力往上爬的務實青年。一個在芝加哥讀書打工至肺病吐血回台對抗蔣氏獨裁，一個留美申請綠卡並獲中山獎學金補助，回台立即出任蔣經國英文秘書。

1980年高雄事件，馬英九站在獨裁的一方為鎮壓迫害人權背書；邱義仁則開破車跑到洛杉磯找許信良，「要為被關的黨外朋友報仇」。

二十八年後，馬英九當選總統，成了清廉政治的符號；而邱義仁失去一切權力，身份貪污案被告；並且一生相守的妻子離開了他。

邱義仁如果人生犯了最大的錯，是他太迷信權力，權力使一個熱血青年迷失了他的人生，也迷惘了他的理想。經此文，給邱義仁遙遠的祝福，祝他早日走出權力帶給他的痛苦；回到當年約翰藍儂的信徒時光。人生永遠會有下一個轉折。（2008.5.10）

寶藏遊戲

1990年代末，奈及利亞的獨裁者阿巴查（Sani Abacha）每天指示中央銀行匯1500萬美金到他私人的瑞士銀行戶頭。他預知自己即將垮台，於是展開了一連串的國際洗錢竊吞行動。參與這樁無恥「犯罪」的還包括了國際響噹噹的金融機構，花旗集團、匯豐銀行、法國巴黎銀行、瑞士信貸銀行、渣打銀行、德意志摩根建富海外資產管理公司。他的方法第一步驟分別在澤西島與模里西斯設紙上公司，然後透過三項金融法律工具（信託、人頭公司和實際銀行帳戶受益人）跨越全球洗錢、吞錢。

這一切在半年前，對台灣多數民眾仍是外太空般的故事，現在已耳熟能詳。這是移至歐洲列支敦士登。

際匯兌管制，尤其網路通訊技術問世後，只需輕按滑鼠，就能把一筆加勒比海的資金轉境外金融中心崛起於一九八○年，那個相信「全球化」一切美好的年代，解除了各國國

陳水扁任內八年，為我們留下最好的一門國際課程嗎？

黃睿靚在某私人銀行開戶時，宣稱其父親是一位「平實且成功的商人」，她的所得來自這位了不起的父親，當地銀行初步為她所留下的調查文件如此描述此客戶：「她的職業生涯非常成功，將其父親贈與的財富有條有理的累積，並委託本公司管理其開曼公司的投資。」等到美林發現她口中的父親就是「陳水扁」時，立即通報瑞士聯邦檢察署。黃睿靚不知道的是，她與陳致中兩人被通報的過程與前奈及利亞獨裁者及智利惡名昭彰的殺人頭目皮諾契特如出一轍。皮諾契特比起陳致中夫婦還遜了一節，他在瑞士二十個戶頭加起來不過800萬美金，老賊頭還遠遜於這兩個小伙子。

境外金融中心（Offshore Financial Center）崛起於1980年，那個相信「全球化」一切美好的年代，解除了各國國際匯兌管制，尤其網路通訊技術問世後，只需輕按滑鼠，就能把一筆加勒比海的資金轉移至歐洲列支敦士登。全球各小國爭當租稅天堂，從1970年代25個增加至2005年底，已達72個。這72個租稅天堂讓國際金融業產生了大洗牌；一個為富人提供「全包式」金融服務的新興行業誕生了，名為私人銀行。

陳致中現在成天挨罵，他沒有職業，哪裡的豪宅、名錶、與數億元存款？從他過去的背景及出國行程觀之，他為家族做的貢獻，可能超越我們的想像；他才是陳氏家族

私人銀行的主要管理者。他不是沒上班，他最重要的職業就是出任媽媽全球洗錢理財總管。三十歲的陳致中，已讀過台大法律系，柏克萊及紐約雙法律碩士學位，他的訓練已足夠與一名學歷平庸的理專，跨國洗錢。他有許多亞洲私人銀行理專不具備的外交管道，模里西斯、諾魯、貝里斯……，他是「王子」，父親掌管國安會，既具外交管道又具「王子」禮遇身份。他的妻子在佛羅里達買了一個小公寓，我相信這個小公寓只為提供陳家「私人銀行」對帳單地址，每月從全球寄來他母親為全家理財的各帳戶對帳數字。一處毫不起眼的公寓，這裡埋藏了台灣國家八年最大的秘密，也是最大的心痛。

陳致中不只是母親的跑腿人，也是自己受益帳戶的規劃者。這位長年偽裝木訥的準律師，直至他被迫回台滔滔不絕為家人辯護時，我們才第一次認識了他。他為自己的紙上公司取名Galahad Management Co.，圓桌武士的故事中一位握有寶藏地圖戰士，名Galahad，帶著各款名錶Frank Muller、寶礒……與「無數寶藏」，他與他的母親無意中帶領我們認知了一個從不熟悉的境外洗錢世界。

關於境外租稅天堂的爭辯，一直是過去兩年來國際租稅公平運動的重大主題。台灣多數人置之度外，直到陳家洗錢案發生。無奈中，只好「感謝」陳家，為我們上了這一堂代價高昂的課。（2008.9.5）

邂逅夢想

輯

高爾式的權力政治

上美國總統的人，遠離權力，登上了真正獲得影響力的世界性舞台。冰山融解海面升高的現象，問無視未來的當代，十年後我們怎麼辦？這位曾經差一點當高爾他不斷提醒人類，只有十年的時間挽救全球暖化現象。紀錄片裡，他指著北極地區

2006年我收到一份通知，美國前任副總統高爾為他的「全球暖化」紀錄片，9月上旬邀請我至香港訪問他；主辦單位甚且表達他們將承擔機票及住宿費。

我聽了大吃一驚。高爾為全球暖化公益，自己出書，自己募款，自己投資拍紀錄片，還自己巡迴全球作媒體行銷？以他的身份，邀人訪問還代出費用，太不符合行情。

可是高爾決定放下身段這麼做，我確定十年後人類若真的避開暖化浩劫，他的歷史地位將超過任何一位強權國家的總統；更不要提2000年時因蝴碟效應選票打敗他的布希。

選舉或總統身分，畢竟只是一時的權力現象。政治只

高爾「不願面對的真相」紀錄片，自己出錢、自己攝製、自己宣傳。（法新社）

是取得權力的方法之一，一個離開副總統職務的高爾，遠離華盛頓的喧囂；在人類共同的浩劫中，扮演危機處理的角色。這種貢獻，怎麼會是現實中的權力人物可能做得到的？

　　高爾為全球暖化寫的書，如今已是紐約時報暢銷書；他不斷提醒人類，只有十年的時間挽救全球暖化現象。紀錄

片裡，他指著北極地區冰山融解海面升高的現象，問無視未來的當代，十年後我們怎麼辦？

這不是一個宗教運動，高爾談的不是形而上哲學層次的問題，他說的是死了一萬多人的歐洲熱浪，前所未有的南亞海嘯，42℃的重慶旱災。我們估計過去十年來至少有百萬人直接或間接死於全球暖化，未來只會愈演愈烈，而且一年比一年嚴峻。

有一個考驗行銷創意的老笑話，「在阿拉斯加如何推銷冰箱？」如今它已不好笑，成為真實。2006年在一個接近北極的愛斯基摩人社區，7月中曾一度熱至32℃，一生沒見過冷氣機的愛斯基摩人今年夏天，光一個小鎮就裝了十台冷氣機。他們的屋子主為禦寒設計，32℃對愛斯基摩人簡直見鬼；沒窗、沒風；如今那個行銷冰箱的老笑話，答案變得太專業，「把全球搞暖化了，阿拉斯加人人買冰箱！」

我們坐在一枚定時炸彈上面，高爾的紀錄片逼著人類面臨生態浩劫的真相。那些旱災、海嘯、熱浪不是新聞，不是一時，它會一而再、再而三不斷降臨，而且愈演愈烈，高爾說，這是一場「全球性的緊急狀況」，人類必須儘快採取行動，阻止浩劫。

他沒有放棄世界上任何一個地方，包括台灣。世界是一體的，在上天的眼中，浩劫不分種族、膚色、宗教。災難

將把所有人類，緊綁一塊。

　　高爾的書與紀錄片同名，「An Inconvenient Truth」（不願面對的真相），他的製片史考特・柏恩斯觀察一個退休政治人物的角色：「高爾曾經進入政治核心，看過全球面對的各種問題，現在他卻決定將時間和精力奉獻給與政治無關的議題。」

　　這位曾經差一點當上美國總統的人，遠離權力，登上了真正獲得影響力的世界性舞台。那個糾纏於伊拉克戰爭的對手布希，如今已被高爾丟得遠遠的。

　　前捷克劇作家總統哈維爾在卸任時曾寫了一本書，「無權力者的權力」，他這麼敘述政治家的角色，「政治家有責任喚醒酣睡中的或不知所措的潛在意識，……指引一個方向，打開一條通路。」許多人以為人一離開政治職位，就失去了政治家的機會。高爾證明，一切正好相反。

　　當他離開華盛頓那一天，投入全球暖化運動，「高爾」的名字，開始成為歷史性的政治家。（2006.12.8）

我們活在史上最熱的一年

世界上有許多現象不能用現今的物理學解釋。一名熱愛植物的作家Peter Tompkins寫下《植物的祕密生命》，「人在黑暗中憑說話辨認人，花憑自己的氣味宣示它自己。每朵花都承載著其祖先的靈魂。」如今人在逐漸暖化毀壞的地球，先殲滅了花朵，再殲滅了自己。

現在你到阿爾卑斯山，看不到滿山白雪；2007年的富士山，少了一大抹白，崇聖純潔的氣質頓失一半；墨西哥的桃子、玉米只長得半隻大拇指大；櫻花沒等冬天過了，已開了；我家院子的玫瑰、紫藤、雞蛋花、楊集甲，各打各的春秋，紛唱起自個兒的花調；該謝的未謝，該楓紅的還未全紅；紫

……，或許它累了，想休息；希望我們離它而去。吊在一片黑寂中，看起來淚光盈盈，「地球」承載了人類好多世代的恨、愛、生、死……我收到高爾辦公室幫他寄發的賀年卡，卡片封面是一個從外太空拍回來的地球畫面。它

藤乾枯了一半，另一半葉子掛在桿上不知怎麼是好。

氣象學家們預測，2007年是史上最熱的一年；而我們活在其間，正開始歷經這個每千年循環的氣候變遷過程。植物學家們估算，我們會頓時失去許多「花朵與植物」；它們將從人類居住的地球上絕跡；於是北極正有一個實驗室在興建中，準備把全世界的種子存凍其間，以免有一日，它們大半消失。

這聽起來，像一場準備中的喪禮。我們正在親手埋葬自己，等一場枯旱的季風吹來，或無邊無涯的氾濫海嘯，把我們帶到那喪禮的現場與片刻。我們都是受邀的賓客，也是主角；因為凡植物、動物與人類，地球上的所有生物，都逃不了死亡，只是先後的問題。

人類真的有想像中的聰明嗎?我們還在爭論什麼是國家，想不通宗派的殺戮復仇；南北極溶解的冰河，已將我們緊緊的綁在一塊。

每一次我在新節目「文茜二重奏」敘述這些故事時，總習慣性地想起自己園子裡的花兒。「它們的氣味承載著祖先的靈魂」，牆角那朵散著淡淡香氣的夜來香，今年只開了半個月，天暖它以為冬天結束了；於是每年一度綻放它靈魂時辰的機會，被人類狠狠減少了一半。

玫瑰是今年園子裡長得最好的花朵，它「身」上長著刺，基本上是一種不信賴世界的植物。幾個月的暖冬下

來，我們有一個長長的秋天，蕭瑟不足，感慨不定；一切都是那麼的無法拋去。我們回不到大自然創造的循環世界，但玫瑰卻暖暖地度過了一個綻放的長長花季；它的祖先給了它長刺的靈魂，那個不信賴人類的植物祖先，還是有著它的先知。

我還想起那些需要冬眠的熊，牠們如何貯存足夠的營養能量，活躍下一個醒來的日子？

2006年10月，我在香港訪問前美國副總統高爾，心裡還想著：如此的退休人物，願意以十年的時間來推動一個人類尚無法認知的危機，真難得！

沒想幾個月後，危機已迎面而來。12月我收到高爾辦公室幫他寄發的賀年卡，卡片封面是一個從外太空拍回來的地球畫面。它吊在一片黑寂中，看起來淚光盈盈，「地球」承載了人類好多世代的恨、愛、生、死……，或許它累了，想休息；希望我們離它而去。

2007年我們將活在史上最熱的一年，這是幸？還是不幸？（2007.1.5）

歐巴馬的夢想人生

如果你有著與歐巴馬一樣的出生，一樣的童年，你會長成一個什麼樣的人？

歐巴馬今年僅四十七歲，但他的靈魂似乎已活了很久，活過了很遙遠很寬廣很不同的世界。金融海嘯中，上帝賜予美國人這個禮物，他一生的笑與淚，似乎最終只是為了凝聚某一個歷史時刻，他可以帶領困頓而自大的美國人，重新認識世界。

如果你有著與歐巴馬一樣的出生，一樣的童年，你會長成一個什麼樣的人？

歐巴馬的母親一生結婚兩次，生父在他擁有記憶之前已離他們而去；他一生與生父唯一的相處時光只在十歲那年的聖誕節；結局也很糟，全家吵翻，不歡而散。歐巴馬的母親是一位真誠的人類學家，她的浪漫婚姻與世界關懷合而為一。一個白人中產家庭的女孩，先愛上已有肯亞元配的非洲青年，離了婚，又跟著印尼政府官員遠渡世界的另一端，居住貧瘠的東南亞鄉間，過著美國白人難以想像的苦日子。

這位媽媽看起來簡直過度夢幻，她未曾賦予歐巴馬滿口袋的錢，卻給了他無限的愛。非凡的母親教導非凡

的兒子體驗人生的大愛與小愛；不只愛自己，愛教養的親人，也愛遺棄他的父親與命運比他更悲慘的第三世界窮人。

歐巴馬在他自己親自撰寫的傳記《歐巴馬的夢想之路》裡，描述最終扶養他長大的外公外婆，如何敘述他只謀面一個月的父親。「寶貝，任何情況你爸都能迎刃而解，這使得每個人都喜歡他。記不記得有回他要在國際音樂節獻唱？原本答應唱幾首非洲歌曲，一到現場，不得了，在他之前的夏威夷女孩，儘管唱的沒多了得，但可是帶著一整團樂隊做後盾。換成旁人鐵定開溜，打退堂鼓。但這不是老巴拉克；他台照上，面對一堆人照唱。」歐巴馬回憶他外祖父告訴他，「你可以從你爸爸身上學到的是，自信，這是一個人成功的秘密。」

相同的故事若發生於一般家庭，可能完全改觀。歐巴馬的童年將被描述成一樁悲情的孤雛淚；單親、黑白雜種、父親遺棄、母親太浪漫、繼父不得志、印尼苦日子，自十歲起無父無母，只靠外祖父母成長。歐巴馬今天能鼓舞沮喪的美國人，正因為他有一種奇人般的能量，悲苦中看到正面的希望與歡樂；從小他的字典裡沒有自憐自艾，有時也許免不了孤獨，甚至讀私立學校被有錢孩子們嘲笑；但他知道生命裡在肯亞有一個為非洲黑人努力的父親，在印尼有一位捨棄種族成見的母親，在夏威夷有疼愛他的外祖

父母。他以自己的出生為榮，這是一個流浪的家庭，成員雖四散，愛卻很圓滿。人需要愛，不同類型的關愛，歐巴馬不是一個自私的孩子，每日只渴求別人關懷脆弱無助的他，成功的家庭教育使童年的他已理解，「愛的世界」必須寬廣，這種理解挽救了歐巴馬原本宿命不幸的人生。

而歐巴馬若當選美國下屆總統，他不只將是美國史上第一個黑人總統，也是第一個具備第三世界貧苦生活經驗的美國總統。

六歲至十歲間，他曾隨著母親至印尼鄉間居住，繼父決定讓他了解桌上的雞怎麼來。於是他親眼目睹殺雞人「把雞脖子架在小水溝上，雞掙扎了一會兒，翅膀不斷用力拍著地面，幾根羽毛隨風散落，……那人熟練地在雞脖子上劃一刀，鮮血噴出如長長紅絲帶，……接著以迅雷不及掩耳的速度把雞往上空拋，……雞砰地一聲掉在地上，還想掙扎站起來，但頭已變形移位……直至倒地身亡。」繼父給了他一些童年玩伴，大黃狗、天堂鳥、小鱷魚，還有一隻猩猩。

印尼經驗讓歐巴馬體驗何謂亞洲鄉間，路況寸步難行，

摩托車、人力車皆超載兩倍,蟋蟀在月光下鳴唱著,而人與動物皆隨時處於垂死掙扎。

回到夏威夷外公外婆家,他曾聽到白人鄰居孩子們背後冷笑,甚至隔籬嘲諷:「我愛黑鬼!」對世界充滿夢想的外公外婆告訴他,當年德州居住的經驗,更糟!夏威夷,挺好的!母親眼泛淚光,沒有控訴,然後說:「你的父親是一個了不起的肯亞黑人,他回到自己的土地,為他的族人努力。」

歐巴馬今年僅47歲,但他的靈魂似乎已活了很久,活過了很遙遠、很寬廣、很不同的世界。金融海嘯中,上帝賜予美國人這個禮物,他一生的笑與淚,似乎最終只是為了凝聚某一個歷史時刻,他可以帶領困頓而自大的美國人,重新認識世界。Yes, We can;歐巴馬喊出這句口號,美國一大半年輕人毫不懷疑地信賴,因為他的人生真的證明,一個人的「正面」態度,的確可以改變命運。(2008.10.31)

停滯的法蘭西

往倫敦找工作，不屑說英語的法國佬，被迫一步一步改變驕傲且浪漫的法國心靈。崛起，英德再崛起，惟獨法國倒下了。如今英法隧道打通了，法國失業年輕人搭快車前法國是歐盟的創始國，也是最熱衷全球化的國度；但二十一世紀新一波全球化中，中國

當他們躺著時，低聲歌唱；當他們坐著時，兩條腿伸過塞納河畔，懸在半空中；那一場自十九世紀至今持續的大型時尚舞會，感覺仍未中斷……回音仍繚繞著。資本主義塑造的人類第一個大城市巴黎，到了2007才驚覺自己已被全球化遺棄。

法國，在停滯的時間中，憤怒著。總統大選，充滿「誰愛法國」「種族犯罪基因」的攻擊性字眼。普魯斯特與西蒙波娃，作夢都想不到今日的法國，如此反智。右派以反移民為主要訴求，左派以美麗的時尚女性進行包裝。法國擁有高於英國一倍半8.6％的失業率，出口不如德國，全國25歲至65歲就業人口僅63％，工人

一星期只工作35小時；這一次法國大選，極端選民的比例，高達25％人口，居全歐洲之冠。

當席哈克與密特朗在其任內，紛紛留下對殖民（布列碼頭博物館）與東西文明衝突（阿拉伯文化中心）的西方反省代表作時，法國對世界充滿敵視的新法國主義也同時增長。

法國不再是奇蹟的創造者，它是歐盟的創始國，也是最熱衷全球化的國度；但二十一世紀新一波全球化中，中國崛起，英德再崛起，惟獨法國倒下了。法國經濟學家估算，再過五年國家赤字將拖垮法國財政，不到十年法國即將破產。法國莊園小地主相信黑人與回教徒的移民，吃垮了法國。左派則說「中國工人」拿走了我們的工作；一個打扮纖細時尚的中國女孩，若遇白人乞丐乞討未遂，會被辱罵「中國妓女」。

法國在新一波高科技中，沒有任何代表作品。它的通信產業可能全歐最糟，Air France 從台直飛巴黎，頭等艙十八萬比長榮貴。除了香水起司之外，法國時尚也正逐漸被倫敦、米蘭超越。在巴黎我和高行健聊天，他說法國人最害怕，有一天醒過來中國大資本買走了法國香水上市的多數股票，法國淪為十九世紀產紅茶的錫蘭，只是為中國公司打工的高級貨品產地。除了需要特殊發酵的一千多種起司與美麗莊園之外，法國所剩無幾。

這是我們閱讀《山居歲月》中忽略的世界改變。普羅旺斯的紫色薰衣草與黃色油菜花田，那甜美與靜雅的顏色，已擋不住法國沒落的景象。我看著當地浪漫好客的莊園主人，想起中國明末清初的園林文人雅士，太平天國戰鼓與大清沒落，只離他們一百年不到。他們如此致力於美食與所有與美相關的事物；吃一頓飯要三個鐘頭，下午喝一杯Expresso漫談又是三個小時，生命的體會在心靈中茁生，沒有人應該為了工作而生活。法國的文化在這樣的傳統下，成了高度文明的代言詞。兩百多年來，沒人拆穿，這一切得依靠法國是個軍事強盛的國家，從世界各地掠奪足夠的資源與奴隸，供養高貴的法國莊園文明。

十六世紀崛起的全球海洋貿易，把自以為文明古國的中國打敗了，到了十九世紀中國已是四處割地、世界上最貧窮的國家。而今新一波無情的全球化正逼近法國，我再度見證人類思考的愚蠢與停滯，法國今日高唱認同的「馬賽進行曲」，與義和團幾乎無異。他們恨中國工人奪走了工作，卻不知以法國工業的競爭力，沒有中國，也有波蘭匈牙利等東歐的工人足以取代法國。歷史正是如此，沒有誰是永遠的強國；物競天擇，這不就是西方帝國文明的核心價值嗎？

如今英法隧道打通了，法國失業年輕人搭快車前往倫敦找工作，不屑說英語的法國佬，被迫一步一步改變驕傲且

浪漫的法國心靈。

　　1789年大革命後217年，法國人再度震撼自己政治體制如此癱瘓。沒有人知道法國的未來。

　　除了高唱「馬賽進行曲」。（2007.4.20）

我們浪費了在此

推薦一本新書，《我們為何在此？》由香港科技大學與商務印書館聯合出版，全書主要收錄霍金2006年訪問香港科大的幾篇論文與訪問。

霍金在牛津大學讀博士學位時，罹患肌肉萎縮症。其病不只無藥可醫，還會損害大腦內的運動神經。從此霍金從一個活躍足球場的天才，成了不能說話、不能行走、手腳萎縮的怪物。但他還能想，他看得透宇宙的非時間性，也閱讀時間與空間的相對性。這些殘疾，是他人生的相對現象，不是絕對命運。他不能動，但還能想；常人像他，難免性格扭曲，甚至吞藥自殺；霍金卻把他的身體機能視同可變的座標，他的腦子靈得很，跟金以他對女人的鑑賞興致，宣告天下，他是一個多麼活潑旺盛的生命體。

自己是個男人，活生生的男人。他到世界各地訪問時，媒體總集中在這些議題打轉。霍金覺得世上最奧妙的兩樣東西，一個是宇宙，另一個是女人，他笑看世界，卻永不忘

史蒂芬·霍金是科學界的奇才。他和女兒露西合作執筆的少年科幻小說，融合了冒險故事和科學知識，是專為兒童設計的第一堂天文課。（法新社）

著移動。1986年他為自己裝設了一套語音合成器，開始透過一套軟體與世界對話。

2006年5月，香港科大學生們與他對話，問霍金，「為何你說話帶美國口音？」可不是，他牛津畢業，怎麼「說」起野腔的美式英文呢？

霍金的答案非常妙，他解釋自己的語音合成器一開始就「Made in U.S.A」，1986年，用了二十年，已經很舊

了。他目前仍然很喜歡這一套合成器發出的機器式怪英文，因為還沒有找到更好的聲音。這套機器伴著他近二十光陰，已成了別人認知的一部分。霍金回憶，有一回他試圖物色一套法國口音的新軟體，結果「如果用了，怕太太會跟我離婚」，因為「她覺得我像另一個男人。」

霍金有一對兒女，女兒陪著她到香港，形容父親「超越自己，以物理學探索宇宙，也探索自己的生命限制」。目前父女二人合力創作了一部少年科幻小說，平日心情若不好，霍金就拿起他的「iPod」，聽起華格納。

霍金覺得世上最奧妙的兩樣東西，一個是宇宙，另一個是女人。他笑看世界，卻永不忘自己是個男人，活生生的男人。不只到香港，到世界各地訪問時，媒體總集中在這些議題打轉。霍金以他對女人的鑑賞興致，宣告天下，他是一個多麼活潑旺盛的生命體。媒體每問他幾個蠢問題，他就拿美女來開玩笑。有一回在法國，與密特朗總統見面，霍金與大總統打賭，「看迎面來的美女會對誰媚笑？」當然，他贏了！密特朗不開心，指責霍金以「無威脅之弱勢取勝」；霍金直言，他的貼心、睿智、熱情與積極，早幻化成獨特的人格；有的時候他還真得很「Man」，他知道人們懷疑他做那檔子事的能力，他常掛嘴上，「我妻子對我一直很滿意。」

關於霍金的這本書，是我近日到誠品書局無意中發現

的。它或許不如《時間簡史》專業，或許對一般未入門的非科學生有點深奧，可是光看這本書霍金與他女兒的專訪；或霍金演講稿的第一段話，「天神奔巴胃痛發作，嘔吐出太陽；接著天神又胃痛不止，又吐出了月亮與星星；再接著又吐出一些動物，豹、鱷魚、烏龜，人類是天神最後的嘔吐物。」夠好玩了吧？

霍金端詳思索宇宙起源，問我們為何在此？從何而來？他的腦袋，救了他的殘疾，也救了他的人生。

相對霍金，我們多數人「傳奇地」擁有手腳、發語，一切他沒有的能力，我們都有。可惜我們腦動得少，人生看得淺，生命體驗也貧瘠。真是浪費了人生在此。（2007.3.16）

遇見羅傑斯

剛遇見Jim Rogers，我嚇了一跳。台灣稱他投資大師，外國給他安個名字量子基金之父，無論哪一個名號，都與他的身材太不相符合。他大概只高出我的肩膀一點點，與他握手寒喧，我的視線落在他的頭頂後穴；道別吻頰，我得彎著腰才能在他耳邊說句親切的話。

但人真的不能只看外表；他坐下來和我聊了約莫半小時，談經濟預測、通貨膨脹、熱門商品、石油價格、中國很牛。語言既精確，又不囉嗦，人聰明到了極頂。問他高油價何時結束？他提起四十年來沒有一個新油井被開採，沙烏地阿拉伯、美國惟一可以影響的中東國家，早已過了黃金量產期，未來再怎麼增產，數量有

後將成最具競爭力的人類！」

至新加坡，亞洲最靠近中國的城市之一。他鼓勵女兒的方法，也很商品──「妳們長大數百年後中國將在二十一世紀崛起，並成為地球上最有影響力的國家。如今他卻把家移羅傑斯說二十一世紀是中國的世紀，十九世紀屬於英國人，二十世紀美國崛起，苦難了

限。對於美國眾議員把高油價歸諸投機客炒作，他嗤之以鼻，「政客說的經濟結論，不為經濟，只為他們的政治利益，譁眾取寵！」

他要人們冷靜地回到一個簡單的數學，如果四十年來沒有新的油井供應投入市場，市場卻因中、印、東歐、拉美、亞洲各新興市場崛起，需求增加數倍，為何油價不該大漲？他毫不猶豫地預言，十年後，油價更貴。

問羅傑斯，替代能源的出現可以緩解高油價嗎？他不引經據典，也不想說高調，「蓋一座核能電廠，需時十年；全面推高替代能源並使其量產，科技上也得等個十年以上」。

所以他的結論很悲觀，這次通膨，人類需花個十年，才會結束。

羅傑斯聰明驚奇之處，不是他今天才說這些話，而是2004年。當他撰寫《熱門商品》（Hot Commodities）一書時，即預言我們今日的遭遇。他說我們今日所遭遇的通膨，只是初期、剛開始的階段，苦日子還很長。

羅傑斯的下一個預言，是中國。他新近又整理了一本口述的書《中國很牛》，這本書不像他的「熱門商品」嚴謹整理各方數據，但相等宏觀地看到了世界發展的未來趨勢。他說二十一世紀是中國的世紀，十九世紀屬於英國人，二十世紀美國崛起，苦難了數百年後中國將在二十一世紀崛

起，並成為地球上最有影響力的國家。問他通膨對中國的影響？羅傑斯不像一般經濟學家那麼囉嗦，他提出煤是今日石油惟一可行的替代物，中國產煤自給自足，能源需求一半以上可依賴煤；因此當全球為高油價所苦時，中國將開採更多的煤，尤其發展液化煤的技術使其脫離污

染。中國可能因其他國家經濟通膨停滯，反躍升全球經濟最強盛的國家。

羅傑斯當年與索羅斯共創量子基金，報酬率嚇死人，高達4000％。我想他應該是位美裔猶太人吧，如今他卻把家移至新加坡，亞洲最靠近中國的城市之一。問他為什麼不是上海、北京或香港？他說中國污染太嚴重，香港說廣東話又習用繁體字，他直言那是一種即將「絕種」的文字。他的兩個女兒當然都是白皮膚、黃頭髮，每日讀中文書、習了一口京片子，寫簡體中文。他鼓勵女兒的方法，也很「商品」，「妳們長大後將成最具競爭力的人類！」

打著招牌楸楸領結，告別時他提起樸實的小黑包，向台北喜來登飯店侍者要了兩包糖；一包給了我，一包藏在自己口袋裡。趕著前往總統府見馬英九，他留了一句話當紀

念物送我，「Sisy，別把妳的糖送人，十年後它將是大熱門商品。」（2008.6.27）

萊卡的太空邂逅

七年某一天與莫斯科太空科學家在街頭的無意間的邂逅呢？蘇聯垮台十年後，參與計劃的科學家發表論文，才公諸於世。萊卡該不該後悔，一九五七年某一天與莫斯科太空科學家在街頭的無意間的邂逅呢？萊卡從卑微、到誤入人類最危險最高秘密的叢林，其淒厲的死亡過程，直到二○○二年

告訴你一隻狗悲壯死亡的故事。萊卡本是一隻平凡的狗，卻經歷地球上生物未曾體驗的殘酷死亡過程。牠曾經那麼卑微，只是莫斯科街頭上一隻流浪的狗；命運之神卻無意間挑選了牠，1957年牠被莫斯科科學家挑選成了第一個升入太空的地球生物，從壯士、烈士、到太空中孤寂的死亡，只歷時五小時。

1950年代起，美蘇冷戰競爭從原子彈到了太空爭霸，1957年10月蘇維埃紅色革命四十週年，蘇聯發射了首枚人造衛星，挫敗美國的太空計畫。一個月後，不經太多等待，蘇聯發射第二枚人造衛星，這次太空艙裡放了一隻狗，名字叫萊卡。

萊卡原本只是一隻無人

豢養的雜種流浪狗，莫斯科的太空科學家看上了牠，未經重力訓練，只將牠帶上了呼吸輔助器、心臟測示器及太空衣等，就把萊卡從莫斯科街頭丟上了太空。

我第一次閱讀這個故事時，常想從街頭流浪走入太空星城總部等待升天的那一個月，萊卡是否錯誤地認知從此牠的命運即將改變？有吃有喝？翻身了？牠當然無法預知新飼養者對待牠的溫柔與呵護，只是一場死亡交易。萊卡是一個智力平凡的狗，牠窺不得冷戰，理解不了太空競賽。人類對牠無恩，牠存在的意義只在奪取性命，以換取紅色蘇維埃的榮耀。「國家榮耀」四個字對牠不值一盒罐頭食物，可是牠必須為「國家」而死。

1957年11月，萊卡被送入太空艙，初始牠不知道發生了什麼事，接著火箭劇烈升空，太空艙內瘋狂的震盪讓萊卡嚇壞了，牠直撞機艙，死命想逃出。那一刻，牠的幸運幻想徹底幻滅了，這比冰冷的莫斯科街頭更糟透了！他淒厲哀號，科學家們從搖控的儀板上測知，牠心跳加速三倍。牠尚未死亡，等太空衛星成功進入空中時，萊卡享受了瞬間的平靜，牠以為危險過了，殊不知更大的痛苦正等待著牠。太空衛星進入大氣層後，溫度急升，從攝氏18度升至41度，五小時後萊卡因熱衰竭而死亡。

蘇聯曾為了吹噓太空成就，嚇嚇老美，編織萊卡的最終之旅。官方的老版本為萊卡升天後，足足在太空中玩了一

星期，終於吃下早已為牠準備好的劇毒最後晚餐，安詳的死去。

萊卡從卑微、到誤入人類最危險最高秘密的叢林，其淒厲的死亡過程，直到2002年蘇聯垮台十年後，參與計劃的科學家發表論文，才公諸於世。

如果說萊卡一生，有其最美麗的光陰時刻，恐怕不是生前，更不是牠在太空星城一個月的貴賓禮遇日子。萊卡熱衰竭死亡後，人類本不為牠打造太空衛星，卻成了牠傲冠全球的棺木。這個棺木衛星的造價，遠遠超越金日成、毛澤東的水晶棺，陪伴著萊卡在地球大氣層外軌道足足繞行了近十個月。那是牠最溫暖，也是最後的家；直至1958年8月脫離軌道，再重返大氣層，燃燒焚化成煙縷為止。

想像那是一個多麼美麗的喪禮，曾居住的地球在太空中透著瀅瀅水氣始終相伴，遠處月球、星光、銀河……萊卡終於在一個沒有人類的世界裡得到安息；牠的遺體深受上天的祝福，不曾腐壞；等到十個月後，重返大氣層，萊卡與牠的太空棺木一起燃燒，這是全球生物曾進行過的、最盛大、也最壯烈的火葬儀式。

俄羅斯人為了回報萊卡，將牠視為國家烈士。如今一尊如蔣公般的萊卡銅像，置於星城廣場，莫斯科人為牠共譜了六首曲子。萊卡該不該後悔，1957年某一天與莫斯科太空科學家在街頭、無意間的邂逅呢？（2007.12.2）

為什麼王佳芝拒絕不了鑽石？

張愛玲一生參透許多事，她在自己與世界之間，構築了一道拒絕誘惑的牆。張愛玲少女時期撰寫的故事中，筆下的女子早已拒絕了許多事物；愛情、身體健康的丈夫、親情與地位。張愛玲的「色戒」因著電影又成話題，女主角王佳芝為了國家，命和貞操都可以不要，卻唯獨抗拒不了「鴿子蛋」粉紅鑽戒。愛情情慾本來都還似有若無，直到那顆蠱惑的粉鑽出現為止。剎那間，一切人生的價值順序，確定起來；剎那間，男人易先生的漢奸形象褪去了，愛情的召喚油然而生。

為了那顆鑽戒，王佳芝竟然什麼忠誠、任務都不要了；但也為了那顆鑽戒，王佳芝的命也掉了。

張愛玲筆下的女人，參得透許多誘惑，卻參不透一只鑽戒。

為了那顆鑽戒，王佳芝竟然什麼忠誠、任務都不要了；但也為了那顆鑽戒，王佳芝命也

歷史上為鑽戒而亡的人，豈只虛構的王佳芝，太多了。不分男女，無分貴賤，凡搶奪寶石的小偷、騙子、商人、江湖術士，貴族曾為鑽石而戰，拿破崙士兵曾為鑽石而亡，足寫千本鑽石身亡錄。

　　鑽石為何如此迷人？張愛玲在她的原著中，先安排一場麻將戲，麻將桌上女人的手成了唯一會動的主角，而妝扮主角的就靠手上的鑽戒。王佳芝在第一場與富太太們打麻將的戲中，手中戴了一只不起眼的翡翠，王佳芝因此深覺自卑。

　　鑽石等同高價貨幣，卻又連結愛情意念；帝王的皇冠少了它，無法宣示至高的權力；歷史上它曾被拿來磨成粉當毒藥，現在平凡夫婦用它來象徵愛情永恆。鑽石，它的名字是什麼？它小而容易轉手，耀眼而可獲得各方欣羨，重要的是它值錢，而且愈來愈值錢。

　　所以張愛玲筆下的女人，參得透許多誘惑，卻參不透一只鑽戒。

　　鑽戒一只即可切割成上百琢面，不同光線下，它散發不同色澤。它預告愛情又預告權位、更預告價格的擁有；它小小的，藏在人們的心裡，把人性中的貪婪慾望包裝地既美麗、璀璨奪目又理直氣壯，沒有人會因擁有它而自形殘穢。

　　鑽石出現於人類的歷史，先從良善的宗教用途開始，等

到文藝復興後切琢工匠等技藝大為發達後，它瞬間從良善轉為邪惡，成了又美麗又蠱惑又瘋狂又血腥的魔幻之石。

鑽石一定可以收買任何女人的心嗎？

俄國凱薩琳女皇恐怕是一個與「王佳芝」相反的例子。歷史上最著名的鑽石之一「奧洛夫」鑽石，從孟加拉、英國、亞美尼亞，最後輾轉落入俄國人奧洛夫手中。奧洛夫伯爵長得風度翩翩，他愛上了凱薩琳女皇；為了向她求婚，買下89.6克拉的絕世美鑽。沒錯，89.6克拉，比「王佳芝」的鴿子蛋粉鑽足足大了15倍。聰明且自信的女皇，收下了伯爵的鑽石，鑲於國王權杖中，卻什麼口信也不給求婚的伯爵。奧洛夫最終崩潰而死，女皇從近90克拉的鑽石中，既沒看到愛情，也未連結任何無可名狀的感動。她只是收下了半個蛋形狀的西方第一大鑽石，凱薩琳腦海閃過的是，這是俄羅斯大帝國的絕佳象徵。自信的女皇眼中，這美鑽昭顯的只是帝俄的權力，無關愛情。

三千多年前，某日印度中部高原，一名達羅毗荼男子無意間於田裡發現了一顆閃耀奇異光芒的小圓石，他拾起了小圓石，供奉予僧侶；從此人類的歷史，展開了一連串迷惑的鑽石旅程；而且百萬人因此為它身亡。

「王佳芝」只是其中之一。（2007.10.19）

國家圖書館出版品預行編目資料

亂世佳人／陳文茜著. -- 初版.-- 臺北市：
時報文化, 2009.01
　　面；　公分. -- (People；PE0342)
　　ISBN 978-957-13-4978-7(平裝)

　　1. 言論集

078　　　　　　　　　97024996

PEOPLE 0342

亂世佳人

作　　者──陳文茜
編　　輯──李濰美
美術設計──翁　翁‧不倒翁視覺創意
企　　畫──曾秉常
校　　對──李昧‧陳文茜
董 事 長──孫思照
發 行 人──孫思照
總 經 理──莫昭平
總 編 輯──林馨琴

出 版 者──時報文化出版企業股份有限公司
　　　　　10803台北市和平西路三段二四○號四樓
　　　　　發行專線─(○二)二三○六─六八四二
　　　　　讀者服務專線─○八○○─二三一─七○五
　　　　　　　　　　　　(○二)二三○四─七一○三
　　　　　讀者服務傳真─(○二)二三○四─六八五八
　　　　　郵撥─一九三四四七二四時報文化出版公司
　　　　　信箱─台北郵政七九～九九信箱
時報悅讀網──http://www.readingtimes.com.tw
電子郵箱──history@readingtimes.com.tw
法律顧問──理律法律事務所　陳長文律師、李念祖律師
印　　刷──盈昌印刷有限公司
初版一刷──二○○九年一月五日
初版二刷──二○○九年一月十六日
定　　價──新台幣二六○元